La Passion du Québec

03/79

René Lévesque
La Passion
du Québec

ÉDITIONS QUÉBEC|AMÉRIQUE

**450 est, rue Sherbrooke, suite 801
Montréal H2L 1J8 (514) 288-2371**

© 1978, ÉDITIONS QUÉBEC/AMÉRIQUE
DÉPÔT LÉGAL :
BIBLIOTHÈQUE NATIONALE DU QUÉBEC
4e TRIMESTRE 1978
ISBN 0-88552-049-1

Note de l'éditeur

Nous tenons d'abord à remercier M. René Lévesque de la collaboration précieuse qu'il a apportée à la préparation et au remaniement du manuscrit original. Nous lui sommes reconnaissants, aussi, des heures qu'il a bien voulu consacrer à répondre à nos questions.

Cet ouvrage est, à l'origine, une initiative de Claude Glayman, directeur, aux éditions Stock, de la collection *Les Grands Leaders mondiaux*.

L'entrevue originale a été réalisée par le journaliste Jean-Robert Leselbaun et utilisée telle quelle pour l'édition française. Pour le lecteur québécois, il fallait modifier quelque peu la substance de l'ouvrage. Nous avons donc repensé la formulation de certaines questions, nous en avons éliminé d'autres et, pour mieux adapter le texte à la réalité québécoise, nous avons ajouté une quarantaine de pages inédites grâce à la collaboration de M. Lévesque.

Sommaire

EN GUISE D'INTRODUCTION

DÉCLARATION DU PREMIER MINISTRE DU QUÉBEC À L'ASSEMBLÉE NATIONALE, LE 10 OCTOBRE 1978

LA DÉMARCHE DU GOUVERNEMENT DU QUÉBEC D'ICI LE RÉFÉRENDUM

Bientôt, nous aurons la première occasion de notre histoire de fixer nous-mêmes, entre Québécois, la direction politique que nous voulons prendre à l'avenir.

L'échéance n'est pas pour demain, mais elle approche tout de même à grands pas. Juste avant l'ajournement d'été, la loi qui établit les mécanismes de la consultation populaire a finalement été adoptée. Étant donné, par ailleurs, l'engagement que nous avons pris de tenir le référendum avant nos prochaines élections, une phase nouvelle s'ouvre maintenant au cours de laquelle il nous faudra définir et détailler le contenu de l'option qui en fera l'objet. Et pour commencer, le temps est venu d'en évoquer à nouveau et d'en réaffirmer les éléments essentiels.

C'est avec sérénité et d'avance avec fierté que nous le faisons, car nous sommes sûrs que le Québec ne ratera pas cette occasion historique de s'assurer la plénitude de la liberté comme aussi de la sécurité collective.

Ce qui ne signifie pas, cependant, que nous sous-estimions les difficultés d'une telle étape, ni les appréhensions qu'elle peut susciter dans bien des esprits. Il est normal, en effet, que bon nombre de gens se sentent encore hésitants, incertains, et qu'ils redoutent les changements que produira une telle décision. Sans compter les efforts de ceux pour qui l'avenir comme le passé ne saurait être que minoritaire et dépendant, il est naturellement malaisé pour une société autant que pour chacun de nous d'avoir ainsi à réorienter son existence. C'est pourtant le genre de moment, à la fois privilégié et toujours un peu angoissant, qui se présente infailliblement à tous les peuples le long du chemin. Et ceux qui ont alors assez de maturité et de confiance en soi pour relever le défi de façon positive, quels que soient les problèmes qui continueront à surgir par la suite, ne regrettent jamais d'avoir pris le tournant.

Telle doit être, et telle sera aussi notre décision, car c'est tout le sens de notre histoire et la continuité de notre évolution qui nous y conduisent.

La maturité

Cet aboutissement logique que nous proposons s'appelle, comme chacun le sait, la Souveraineté-Association. Si nous avons choisi, dès le départ, ce nom composé, c'est pour bien marquer le double objectif de notre démarche constitutionnelle. Il n'est pas question, dans notre esprit, d'obtenir d'abord la

12

souveraineté, puis de négocier l'association par la suite. Nous ne voulons pas briser, mais bien transformer radicalement, notre union avec le reste du Canada, afin que, dorénavant, nos relations se poursuivent sur la base d'une égalité pleine et entière. La souveraineté et l'association devront donc se réaliser sans rupture et concurremment, après que les Québécois nous en auront donné le mandat par voie de référendum.

Puisque ces deux notions de souveraineté et d'association se complètent, il nous faut donc préciser ce que nous entendons par l'une et par l'autre, avec ce trait d'union que nous mettons entre les deux.

La souveraineté, c'est très simplement, très normalement, pour nous comme pour les autres peuples, le fait d'accéder à la pleine responsabilité nationale. Nous y venons plus tardivement que la plupart des autres. Mais si nombreux qu'aient été les accidents de parcours et laborieux le cheminement, jamais nous n'avons cessé d'aspirer obstinément à être un jour maîtres chez nous. Des lointains débuts coloniaux jusqu'à ce demi-État que nous a consenti le régime fédéral, nous avons tendu constamment à nous débarrasser des pouvoirs qui pesaient sur nous de l'extérieur. Ayant acquis au siècle dernier la souveraineté partielle d'une province, nous en avons sans cesse réclamé l'élargissement. Comme en témoignent, sans exception, les positions de tous ceux qui, depuis des décennies, se sont succédés à la direction du Québec, pour administrer cette souveraineté tronquée, en ayant si souvent à la défendre contre les empiètements. Ce qui, soit dit en passant, est également ce que nous faisons de notre mieux, à notre tour, tant que nous sommes encore dans le régime actuel. Mais en sachant aussi que, pour mettre fin une bonne fois à l'écartèlement des esprits, à la division coûteuse de nos énergies et de nos ressources, il est indispensable de le remplacer.

Pour ce faire, il faut rapatrier chez nous le pouvoir exclusif de faire des lois et de lever des impôts. La souveraineté, voilà précisément ce qu'elle implique. Comme les autres, le Québec sera souverain quand son Assemblée nationale sera le seul parlement qui puisse légiférer sur son territoire, et que les Québécois n'auront d'autres taxes à payer que celles qu'ils auront eux-mêmes décidé de s'imposer. Pour la première fois, nos instruments politiques ainsi que les principaux moyens financiers et économiques de la collectivité seront regroupés au même endroit, en un seul centre de décision entièrement à notre service.

Le Québec et le Canada

Mais cette légitime affirmation d'un peuple, l'évolution du monde nous enseigne qu'elle n'exclut pas du tout les mises en commun qui sont mutuellement avantageuses. L'interdépendance étroite des nations contemporaines, le volume de leurs échanges, la facilité de leurs communications, les poussent naturellement à s'associer dans maints domaines afin de favoriser un développement conjoint. Cela est d'autant plus vrai dans notre cas, que nous partageons depuis deux siècles avec nos amis du reste du Canada un espace économique commun et qu'une foule de nos activités sont fortement intégrées et complémentaires.

Nous voulons donc conserver intact cet espace économique canadien, avantageux pour nous comme pour les autres, avec la liberté de circulation aussi complète que possible des produits, des capitaux et des personnes. Concrètement, cela signifie, par exemple, qu'il n'est pas question d'établir de douanes ni d'exiger de passeport entre le Québec et le reste du Canada.

Et comme complément logique à la conservation et au bon fonctionnement des marchés que nous partageons, nous sommes également d'avis qu'il nous faut assurer en commun le maintien de la monnaie actuelle. En négociant de bonne foi, on devrait parvenir à pouvoir confier la gestion de la devise et des politiques monétaires à une banque centrale conjointe. Là encore, c'est pour protéger l'espace économique existant et maintenir la facilité des échanges commerciaux que nous croyons opportun d'adopter cette position.

C'est d'ailleurs dans ce même esprit de renouveau et de continuité à la fois, et en donnant à la notion d'interdépendance tout son contenu de solidarité collective, que le Québec devra aussi prendre sa place dans les alliances nord-américaine et nord-atlantique, afin de contribuer, si modestement que ce soit, à la sécurité d'ensemble des démocraties occidentales.

Et voilà pourquoi, depuis le début, nous évoquons la souveraineté et l'association comme deux objectifs complémentaires et pas du tout contradictoires, qui vont dans le sens de notre histoire et qui correspondent aussi, mieux que toute autre formule, à l'évolution des peuples. En s'inscrivant dans ces grands courants politiques et économiques qui parcourent le monde, les Québécois auront même la chance de contribuer, avec les Canadiens, au progrès de cette formule d'avenir en définissant leur propre modèle de souveraineté-association.

Chose certaine, en tout cas, on ne voit rien d'autre à l'horizon qui soit susceptible de briser le cercle vicieux dans lequel sont enfermés deux peuples distincts, que tout appellerait pourtant à se mieux comprendre et à se respecter. Et à mesure que l'on s'aperçoit que notre option n'est nullement inspirée par l'hostilité, que bien au contraire elle vise à nous sortir les uns et les autres d'une impasse que le régime actuel est absolument incapable de résoudre, peu à peu des esprits qui étaient d'abord réfractaires commencent à s'ouvrir, la discussion s'amorce et même des tenants officiels du fédéralisme se voient désormais contraints d'en tenir compte, sur le mode négatif bien sûr, mais c'est déjà en quelque sorte l'hommage que l'impuissance rend à la fécondité politique.

La marche à suivre

Telle est la mise au point que le gouvernement tenait à faire, au moment où l'on peut dire que le vrai débat va s'engager sur la solution qu'il entend proposer éventuellement à cette Assemblée, puis au peuple québecois, et enfin, quand nous en aurons le mandat référendaire, au Canada, afin de substituer aux liens constitutionnels désuets, un accord permanent, mais souple et capable de s'adapter en cours de route à toutes les évolutions requises.

Les réflexions que nous nous sommes imposées au cours des derniers mois nous incitent également, avant de terminer, à fournir les précisions suivantes sur le cheminement qui nous mènera jusqu'à l'objectif.

D'abord le gouvernement continuera de rendre publique les études techniques qu'il a fait préparer sur certains aspects du fédéralisme actuel, sur les formules d'association qui existent un peu partout dans le monde et sur les échanges économiques entre le Québec, les autres provinces et divers pays. Une étude sur le rôle de la Cour suprême dans le partage fédéral-provincial des compétences paraîtra ces jours-ci. Une autre suivra bientôt, justement sur les types d'association économique déjà expérimentées en Europe et ailleurs.

D'ici quelques mois, le gouvernement s'engage aussi à publier un document plus élaboré sur la souveraineté-association. Cet exposé contiendra une description plus détaillée des éléments qui nous paraissent essentiels au bon fonctionnement de la formule, aussi bien en ce qui concerne les pouvoirs exclusifs du Québec qu'en ce qui a trait à ceux qui peuvent être exercés en commun. On évoquera aussi diverses possibilités quant à la forme définitive du projet d'association: les mises en commun additionnelles qu'on pourrait envisager, la nature des organismes qui veilleront au bon fonctionnement de l'ensemble, etc. Avec les études d'arrière-plan qui l'auront précédé, cet exposé gouvernemental sera l'amorce d'une période d'intense réflexion nationale, d'échange et de dialogue entre le gouvernement, les partis politiques et la population en général.

Ce n'est qu'à la suite de cette période de consultation que le gouvernement saisira l'Assemblée nationale d'une question définitive qu'il demandera de soumettre à la population par voie de référendum. Il va de soi que cette question sera claire et précise, et qu'elle portera sur l'ensemble de l'option qui aura été définie collectivement et qui devra, par la suite, être négociée avec le reste du Canada.

Cette démarche s'étalera dans le temps, mais pour se terminer avant la fin du présent mandat du gouvernement. Son déroulement s'ajustera cependant à la conjoncture, et il n'est pas question de fixer à l'avance des dates précises pour chacune des étapes. Le gouvernement verra toutefois à ce que la discussion puisse se poursuivre dans les meilleures conditions possibles, sans que l'on puisse confondre les enjeux et sans brusquer personne. De cette façon, les Québécois pourront songer à leur avenir en toute sérénité et en toute connaissance de cause, dans un climat propice à une décision parfaitement démocratique.

Les nombreuses formules constitutionnelles sous lesquelles nous avons vécu depuis 370 ans nous ont toutes été plus ou moins imposées de l'extérieur et jamais elles n'ont été ratifiées librement par l'ensemble des Québécois. Mais cette fois-ci, enfin, il en ira autrement. C'est pourquoi je fais appel, en terminant, à tous les groupes, à tous les partis politiques, y com-

18

pris le nôtre, pour que la période de réflexion qui s'amorce soit la moins partisane possible, qu'elle rejoigne tous les citoyens et qu'elle devienne vraiment leur affaire. C'est de cette façon seulement que l'on peut être assuré que la décision historique que nous prendrons ensuite servira véritablement les intérêts du Québec d'aujourd'hui comme des générations à venir.

Première Partie

DE NEW CARLISLE À QUÉBEC

— Monsieur Lévesque, pourrait-on dire que vos origines, puis vos expériences sur le plan professionnel, ont été des facteurs déterminants de la conscience politique que vous assumez aujourd'hui?

— Sans doute suis-je venu au monde dans un contexte privilégié. Ma famille vivait dans un petit village de Gaspésie. New Carlisle était un village anglophone d'un millier de personnes, les notables du comté. C'étaient surtout des descendants de loyalistes américains et de Britanniques émigrés des îles Jersey et Guernesey. On y sentait en particulier, comme sur toute la côte, l'influence encore incontestée de la Robin, Jones and Whitman Company Ltd, fondée par un marchand anglo-normand, Charles Robin, sur le monopole de la pêche à la morue et une chaîne de magasins où le pêcheur avait l'obligation de s'approvisionner. Il fallait faire quatre milles pour arriver à un autre village francophone, où les habitants travaillaient à la pêche, l'agriculture, l'industrie du bois. J'ai passé toute mon enfance à New Carlisle, sauf les séjours au séminaire de Gaspé, après la scolarité à l'école française de mon village natal, où c'était une aventure permanente entre bandes de petits Canadiens français et de petits Anglais. Ceux-ci nous traitaient de *pea-soup,* et nous, de *craw-fish.* En 1933, j'entrai donc au séminaire de Gaspé. Car si les Canadiens anglais avaient leur *high school* qui se prolongeait à l'université McGill, pour nous, francophones, l'école ne conduisait nulle part. À la mort de mon père, j'avais quatorze ans. C'était en 1936. Ma famille était simplement «à l'aise», mais modestement. Nous avions, avec une bonne bibliothèque, une énorme curiosité intellectuelle. Mon père nous l'avait communiquée. Cela m'a possédé dès le départ, ce qui enlève beaucoup de complexes d'infériorité. Et puis j'avais une immense admiration pour mon père. J'ai appris l'anglais sans m'en rendre compte. Je n'ai pas eu besoin de le faire à l'école, ce qui est toujours plus fastidieux. Très vite je l'ai parlé aussi bien que le français. Donc, je n'ai ressenti personnellement aucun traumatisme qui m'aurait affecté ou donné l'impression d'avoir été brimé.

Pendant que j'était au séminaire, le Québec a connu un début de «révolution tranquille». Vers 1934, l'Action libérale nationale de Philippe Hamel a présenté un programme de restauration, et l'Action catholique de la jeunesse canadienne, qui comptait plus de cinquante mille jeunes à travers la province, incriminait déjà la domination économique du capital étranger et le carcan du système fédéraliste. Nous étions assez bien au courant de tout ce mouvement grâce à la rotation de nos professeurs, qui venaient de Montréal chaque année. Mais c'est finalement Maurice Duplessis qui récolta en 1936 le fruit des efforts de l'Action libérale nationale. Dès son élection, il annonce qu'il n'est pas question de nationaliser les compagnies d'électricité. C'est sa première trahi-

son. Il y en eut d'autres. En 1937, mon père disparaît. Ma mère quittera New Carlisle pour Québec, en
1938. À l'été 1938, je m'inscris à Québec au collège
Garnier, dirigé par les Jésuites. J'écris dans le journal
des étudiants: «N'oublie pas que tu es un Canadien
français, que ton peuple croupit depuis quelques générations, et que si la masse ne réagit pas, ce peuple,
ton peuple, te dis-je, est fichu!» En 1941, j'obtiens
le baccalauréat, après une scolarité en dents de scie
à la faculté des arts de Laval. Plus tard, devenu journaliste à la radio puis à la télévision, j'ai beaucoup
voyagé à travers tout le pays. Chaque fois que je
remettais le nez sur la réalité divergente de nos deux
sociétés, je ne pouvais m'empêcher — cela avait
commencé dès ma jeunesse — de penser que je faisais tout de même partie intégrante d'une société,
d'une collectivité qui, elle, était étouffée par le colonialisme qu'elle subissait. Dès que des événements
précis me forçaient à y penser, je me sentais, bien sûr,
colonisé. Mais je n'en fus jamais affecté personnellement.

*— Le chemin que vous avez parcouru est, certes,
considérable. Comment décrivez-vous les principales
étapes de votre itinéraire?*

— J'ai fait une carrière qui a été le plus souvent
instinctive. Au début des années 40, j'ai abandonné
des études de droit, ou disons plus justement que les
études de droit étaient en train de m'abandonner.
Mon père, avocat de campagne, avait rêvé de faire de
son fils aîné un avocat à son tour. Mais cette orienta-

tion ne me convenait pas tout à fait. La guerre était là, et avec tous les jeunes de mon âge je sentais bien que c'était l'aventure du siècle qui allait affecter toute notre vie. Menacé par la conscription dans l'armée canadienne, je sentais que j'étais prêt à aller outremer, mais pas sous l'uniforme de Sa Majesté. Aussi je me rendis à New York en 1943, et je réussis à me faire affecter à un bureau d'information, puis à être correspondant de guerre dans la VIIe armée américaine. Je me suis plongé dans la guerre sur une impulsion purement viscérale. Quelques années plus tard, j'ai recommencé, au moment de la guerre de Corée — c'était au début des années 50. J'ai débuté dans la politique en 1960, avec l'aile provinciale du parti libéral. J'ai été six ans ministre sous le gouvernement de Jean Lesage. Durant ce mandat, l'ouverture de la Délégation Générale du Québec, à Paris, concrétisa, en 1961, sous le général de Gaulle, les retrouvailles officielles avec la France. L'année 1966-1967, qui a suivi la perte du pouvoir par les libéraux, a été une année de réflexion. Je m'étais donné huit ans environ, à peu près le temps de deux mandats législatifs, pour faire de la politique. Je pensais retourner au journalisme, qui était mon métier depuis la guerre. Cette année de réflexion nous a amenés, mon parti et moi, à la conclusion que nous défendons encore aujourd'hui, c'est-à-dire la souveraineté du Québec et son association avec le Canada. Lorsque nous avons été convaincus de la justesse de cette conclusion, un certain nombre d'amis et des partisans m'ont dit: «Il faut que tu t'embarques, car c'est toi le plus connu.» Ils m'ont convaincu, et j'ai plongé une nouvelle fois en politique.

— Quelles ont été les sources de votre nationalisme?

— Nous nous étions heurtés, au niveau fédéral, à plusieurs reprises et dans plusieurs domaines — social, fiscal, économique (notamment pour des disponibilités budgétaires, qui ont toujours été essentielles dans une structure fédérale). Cela m'a éclairé et amené à deux conclusions défendues par le parti québécois, mais dont les fondements remontent plus haut — vers les années 30, pendant ma scolarité au collège, où certains de mes professeurs, jésuites, étaient déjà des nationalistes de la première vague, liés de très près à l'Action libérale nationale, qui a été chez nous le premier groupement organisé à proposer un programme très articulé de relance de l'entité québécoise. Je sens bien aujourd'hui, lorsque j'y pense, que ce germe nationaliste — les uns disent «poison», les autres disent «germe fécond» — s'est implanté en moi à cette époque-là...

Ensuite il y eut la longue parenthèse de la guerre... Après la guerre, j'ai fait une carrière de journaliste politique qui, à l'échelle du Québec, était presque une carrière internationale. Mes obligations me menaient d'un congrès politique à l'autre, aux États-Unis, à travers le Canada, et parfois même jusqu'en Europe et en Corée, pendant les années 50, où j'ai effectué plusieurs reportages. Semi-déraciné, j'étais naturellement porté à établir des comparaisons entre ce qui se passait au Québec et la situation dans d'autres pays.

Peu à peu, sans que je m'en rende compte, car il est évident que tout cela se déroulait d'abord dans l'inconscient, je me suis ancré dans l'idée que le Québec devait sauvegarder son identité et se constituer en entité politique. Au milieu des années 50, une occasion exceptionnelle s'est présentée. Journaliste à la radio, j'ai été sollicité par la télévision pour réaliser une émission extraordinaire, dont il n'y eut jamais l'équivalent au Canada, peut-être parce qu'on l'a jugée trop dangereuse par la suite, et qui s'appelait «Point de mire». Cette émission portait sur l'étude d'un événement ou d'un problème qui occupait la place centrale dans l'actualité. Avec «Point de mire», j'ai pu faire la transition entre les problèmes internationaux, dont j'étais devenu un spécialiste, et les problèmes de politique intérieure: les grèves, les conflits, les questions spécifiquement provinciales ou même fédérales, mais qui ont un impact au Québec. Cette émission a aussi contribué à me faire connaître, car il n'y avait pas à ce moment-là de meilleure tribune que la télévision. Puis est survenu un événement qui a été déterminant: une grève fut déclenchée à Radio-Canada, où je travaillais. Une bonne partie des salariés de la radio-télévision avaient été mis sur le pavé par décision patronale. L'administration de Radio-Canada étant de compétence fédérale, les décisions de négociation devaient venir d'Ottawa, qui ne se manifestait pas. Nous partîmes alors en délégation dans la capitale demander une audience au ministre responsable et aux autorités fédérales, qui nous laissèrent sans réponse pendant près de trois mois, alors que nous savions très bien — comme cela fut confirmé par la suite — que si le même conflit s'était produit à la chaîne anglaise de Radio-Canada, le différend aurait été réglé en deux ou trois jours. Pour nous, cela a duré soixante-huit jours! Marqué, peut-être traumatisé par cet événement, je devais être amené tôt ou tard à faire de la politique.

— *A Radio-Canada, vous apparteniez au service international. Vous y avez acquis une expérience en politique étrangère...*

— Surtout à partir de 1951, quand j'ai couvert la guerre de Corée comme correspondant auprès du bataillon canadien qui faisait partie des forces des Nations unies envoyées en Corée du Sud, envahie par les troupes du Nord. J'y ai connu la misère atroce et l'hostilité d'un peuple. Expérience brève, mais qui me permit ensuite de me faire connaître comme conférencier. C'est vers 1953 que j'ai commencé vraiment à connaître les événements internationaux, comme chef du service des reportages à la radio et à la télévision. En octobre 1955, j'ai suivi Lester B. Pearson, ministre des Affaires étrangères, qui, sur la route de l'Asie du Sud-Est, devait s'arrêter à Moscou pour y rencontrer M. Krouchtchev. En fait, la rencontre eut lieu en Crimée, et Krouchtchev m'y accorda la première interview à un journaliste occidental.

— *Quelle a été votre expérience de la guerre?*

— Au début de 1944, j'ai embarqué sur un petit bateau, l'*Indochinois,* qui s'est rendu à Halifax. Dans ce port de Nouvelle-Écosse se formaient les convois de cargos qui, escortés de destroyers, ralliaient l'Angleterre. Malgré le danger des sous-marins allemands, notre capitaine décida d'y aller seul, ce qui nous a valu huit à dix jours d'inquiétude, surtout la nuit. À vingt et un ans, je me suis retrouvé donc à Londres, un Londres très cosmopolite, comme rédacteur et speaker de messages pour la France occupée. En fait, j'ai été confiné longtemps à Londres; c'est seulement en février 1945 que j'ai fini par rejoindre le gros des troupes comme attaché au VIe groupe d'armées, qui emportait la 1re armée française, commandée par le maréchal de Lattre, qui se dirigeait vers l'est de la France, puis la Rhénanie, la Bavière, l'Autriche.

— *Ce sont vos seuls souvenirs de guerre?*

— Oh non! je les raconterai une autre fois. Pour aller vite, je dirai que j'ai suivi les forces alliées en Allemagne. J'ai assisté à la bataille de Nuremberg, découvert (l'un des premiers) les horreurs du camp de concentration de Dachau, retrouvé les prisonniers bien traités du château d'Itter, dont Edouard Daladier, Léon Jouhaux, Paul Raynaud et le général Weygand. J'ai vu le cadavre de Mussolini. J'ai été l'un des rares journalistes à entendre Göring quelques instants après sa reddition...

— *Pendant que vous vous consacrez à votre carrière de journaliste, comment évolue la société québécoise?*

28

— M. Trudeau avait bien noté, en 1956, le malaise de la communauté francophone, infiltrée par la société anglaise. Il décrivait alors les Canadiens français comme «un peuple vaincu, occupé, décapité, évincé du domaine commercial, refoulé hors des villes, réduit peu à peu en minorité et diminué en influence dans un pays qu'il avait pourtant découvert, exploré et colonisé». Malgré tous les changements que la société québécoise connaissait, on en était encore un peu aux chimères de la vocation spirituelle et culturelle du Canada français d'un océan à l'autre. Les nationalistes d'hier s'enfermaient dans un conservatisme économique. N'oublions pas que vers les années 30 les nationalistes ont attendu l'Homme-Providence à la Mussolini, Salazar ou De Valera. Et qu'ils auraient préféré, à l'élection démocratique, une représentation corporatiste.

— *Pourquoi vous êtes-vous présenté comme candidat du parti libéral, en 1960?*

— En septembre 1959, Maurice Duplessis, chef de l'Union nationale, née du parti conservateur mourait, usé par le pouvoir. Premier ministre du Québec depuis 1936, à l'exception d'un intermède entre 1939 et 1944, c'était un avocat de la vieille école, avec qui personne n'osait discuter. En réplique à la politique duplessiste, «défensive» et «négative», de l'autonomie provinciale, le parti libéral provincial rénové, dont le congrès de relance avait eu lieu en 1955, présentait un programme sérieux, dont l'éducation gratuite, une planification de la vie économique et sociale, une commission de la fonction publique, un contrôle serré des finances, la fin du favoritisme et de la concussion en matière de contrats de travaux publics. Rien d'extraordinaire, vous le voyez. Il s'agissait de rattraper le temps perdu par le Québec. Mais ce parti libéral était le seul instrument sérieux pour changer les choses. C'était le moment où le développement de la province ouvrait la voie à une véritable prise de conscience de l'entité québécoise. Jean Lesage, le chef du parti et futur Premier ministre, m'a téléphoné: «S'il y en a parmi vous qui veulent embarquer, on pourrait leur garder des comtés.» Tous les quatre, Jean Marchand, Gérard Pelletier, Pierre Eliott Trudeau (lui, restait un peu marginal) et moi-même, nous étions dégoûtés par les excès de l'Union nationale, et nous étions opposés à un régime qui n'en finissait plus de mourir. Mais, au moment de nous présenter, j'étais finalement le seul disponible. Les trois «colombes» avaient le sentiment qu'elles seraient aussi utiles, là où elles se trouvaient. Et puis à l'idée d'abandonner leur situation... Ils n'ont pas voulu faire le saut. J'ai choisi le comté de Laurier. J'ai été élu de justesse avec une majorité de 129 voix, après une campagne électorale où mes adversaires m'ont durement attaqué. Il est vrai que je n'épargnai pas ce ramassis de politiciens incompétents et véreux «qui vendaient notre province à l'étranger», comme on disait alors, qui la maintenaient en même temps dans un climat de sous-développement résigné et qui entravaient le droit d'association en brimant les organisations syndicales dont le Québec avait alors grand besoin pour sa paix sociale. À Ottawa, parallèlement,

30

c'était encore le règne obtus de John Diefenbaker, Premier ministre conservateur originaire des Prairies, qui venait de refuser une enquête sur le problème linguistique — laquelle fut lancée sous Lester Pearson, originaire de l'Ontario, qui, lui, savait à quel point l'avenir de sa province était lié à celui du Québec. Élu en 1963 à la tête d'un gouvernement libéral minoritaire, il devait créer la commission d'enquête sur le bilinguisme et le biculturalisme, dont le rapport préliminaire vint souligner que le Canada traversait la plus grande crise de son histoire.

— *La disparition de Maurice Duplessis vous est-elle apparue comme la fin de cette longue série de trahisons et d'échecs qui font l'histoire du Québec?*

— Oui, ce fut une délivrance pour notre génération si longtemps diminuée par le régime de Duplessis. Il était urgent que les Québécois oublient ce passé étouffant et se souviennent que très tôt dans leur histoire ils avaient constitué un peuple distinct. Car il y avait bien une nation dans cette petite colonie française de 65 000 colons qui fut conquise en 1763 par un Empire britannique à son apogée. Pendant un siècle et demi, ces paysans et aventuriers venus de France avaient parcouru l'Amérique, et ceux qui avaient enfoncé leurs racines dans les basses terres du Saint-Laurent avaient développé une identité finalement différente de la France de l'Ancien Régime. Ce peuple réussit à survivre, serré autour de son clergé catholique et de ses propriétaires terriens. Affreusement pauvre, coupée des centres de décision, privée de la nourriture culturelle de la mère patrie, cette société rurale resta prolifique et s'accrocha avec obstination à la langue et à la terre. Ce qui l'excluait de l'urbanisation, de l'établissement d'industries manufacturières et de l'exploitation des ressources naturelles, d'abord le champ exclusif des Anglais, ensuite de la minorité croissante des anglophones, renforcée par l'assimilation des immigrants. Jamais le Québec n'a tout à fait oublié qu'il avait déjà été une nation potentielle. De temps à autre, ça remuait. Notamment en 1880, au moment de l'exécution par les Anglais de Louis Riel, le chef francophone des métis des Prairies; en 1917, sur la question de la conscription, où s'affrontèrent les Anglais fidèles à l'Empire et les Français isolationnistes; dans les années 20 et 30, avec la montée des revendications. La Seconde Guerre mondiale a porté un coup mortel à l'ancien ordre. Le besoin de changement devint permanent dans les années 50, quand l'après-guerre entraîna une mobilité sans précédent, la télévision et la société de consommation. La population du Québec avait doublé en vingt ans. Le programme, s'il en existait un encore, de l'Union nationale n'avait pas changé depuis 1931! Pourquoi ai-je fait le saut en 1960? Parce qu'il fallait faire quelque chose contre le «duplessisme». Ça bouillonnait autour de moi: en 1956, j'avais assisté, comme journaliste, à la fin de la campagne de Pierre Laporte, battu comme candidat libéral; en 1958, Pierre Eliott Trudeau avait essayé d'animer le Rassemblement des forces démocratiques, et puis il y avait eu la publication d'un livre des abbés Dion et O'Neil sur les moeurs électorales. Sans oublier, bien sûr, le goût de participer aux débats politiques que j'avais couverts pour Radio-Canada, au moment des élections américaines, canadiennes et québécoises.

— *Pourquoi avoir choisi le parti libéral pour entrer en politique?*

— Comme je vous l'ai dit, c'était alors la seule véritable opposition. En 1958, Jean Lesage, venu de la politique fédérale, reprend le flambeau des mains de Georges-Émile Lapalme, qui, avec son petit groupe de parlementaires, avait bien tenté d'entraîner dans la lutte un certain nombre de personnalités. Il n'avait pas été suivi. «Être libéral à cette époque, c'est se couper tous les ponts», en avait-il conclu avec quelque amertume, lui qui dira plus tard: «Être libéral à cette époque, c'est être socialement juste.» Mais Jean Lesage voulait défendre la démocratie contre le pourrissement intérieur, et il proposait un contrôle de l'État sur l'économie. Pour la première fois, ce n'était plus des formules creuses, des slogans, mais un programme écrit avec des engagements écrits. Mais il n'était pas assuré en 1958 que son appel aux «hommes de bonne volonté» soit entendu. La mort de Maurice Duplessis et, cent jours après, le 2 janvier 1960, celle de son successeur Paul Sauvé privaient l'Union nationale de chefs. La voie vers le pouvoir s'ouvrait devant le parti libéral et Jean Lesage.

— Et vous avez été tout de suite nommé ministre?

— Jean Lesage s'était retiré au lendemain des élections pour réfléchir à la nomination des ministres. C'était la ruée pour les portefeuilles! On me donnait comme titulaire d'un nouveau ministère, celui des Affaires culturelles. Je ne m'y attendais vraiment pas. «La raison, me dit Lesage en me convoquant, c'est peut-être que vous êtes presque le seul à ne pas l'avoir demandé!» En fait, je me suis occupé des Ressources hydrauliques et des Travaux publics pendant un an (1960-1961). Puis on m'a confié le ministère des Richesses naturelles (1961-1965). Je m'intéressais beaucoup à ce problème parce qu'en Gaspésie, j'en avais assez entendu sur le prix de l'électricité! Mon idée était claire: «Rendre tous les citoyens québécois actionnaires dans l'exploitation des immenses richesses naturelles dont est doté le Québec». Pendant les trois ans qui ont suivi notre victoire, le gouvernement libéral a tout fait ce qu'il a pu pour remonter le courant de quinze à vingt ans de négligences. Dès 1961, je déclarais: «Il faut que les Canadiens français se servent de leur État pour se tirer de leur situation d'asservissement.» Tout en restant fidèle au régime fédéral, je soulignai que le meilleur moyen de faire de l'autonomie positive, c'était d'occuper les champs qui sont dévolus à la province de Québec par la Constitution du Canada. C'est après la seconde élection de 1962 et la nationalisation de l'électricité que le courant réformateur s'est affaibli dans la routine du pouvoir et la sourde influence des milieux économiques traditionnellement liés aux libéraux. Cependant, la nationalisation n'avait rien de révolu-

34

tionnaire. Le réseau était propriété provinciale en Ontario, étatisé aussi en Saskatchewan. Seulement, la surprise venait de ce que les Québécois montraient, pour la première fois, une volonté nette.

— *Aux élections de 1962, étiez-vous d'avis de présenter la nationalisation de l'hydro-électricité comme une option en faveur du Québec?*

— De toutes les façons, le gouvernement Lesage avait besoin d'un nouvel élan, après deux ans de pouvoir. Le Cabinet et quelques membres du parti se sont réunis en septembre 1962, au Lac-à-l'Épaule, au nord de Québec. C'est là que Jean Lesage accepta le principe de la nationalisation, qui lui permettait de se ressaisir des membres d'un Cabinet dont les avis étaient souvent divergents. Il fit une déclaration fracassante sur la nécessité de choisir entre le peuple du Québec et le «trust». Le journaliste Peter Desbarats[1] écrira plus tard à ce propos: «Tout le monde savait ce que cela voulait dire. Le «trust» était un sobriquet québécois pour désigner le centre financier de la rue Saint-Jacques, les grandes maisons le long de The Boulevard, à Westmount», en un mot tout l'*establishment* anglophone de l'ouest de Montréal. «Cela voulait dire le thé l'après-midi... le lunch au *Mount Stephen* ou aux autres clubs d'affaires de l'anglistocratie montréalaise. C'était le joueur de cornemuse vêtu du kilt écossais, «sérénadant» les clients qui quittent le magasin à rayons Ogilvy's à la

---

1. Auteur d'un livre traduit sous le titre *René Lévesque ou le projet inachevé* (Fides, 1977).

fin de la journée, les soirées de débutantes au Ritz et tous les autres aspects confortables et plaisants de la vie anglophone encore dominante au Québec en 1962. Le «peuple» était les Canadiens français qui servaient de clercs dans les banques et les maisons financières, qui livraient le courrier, le lait et le linge blanchi à Westmount, et qui envoyaient leurs enfants dans de vieilles écoles de l'Est montréalais et parlaient hockey ou politique toute la nuit.» Spectateurs passifs, et non protagonistes majoritaires qu'ils n'avaient qu'à devenir.

— La plupart des hommes politiques québécois de votre génération ont choisi, vers 1965, de faire carrière, au niveau du fédéral, au sein du parti libéral. Ottawa pratiquait alors une politique d'ouverture en faveur des francophones. Pour quelles raisons êtes-vous resté au Québec pour y faire une carrière provinciale?

— Pour les autres, ce fut d'abord une question de circonstances. En 1965, sont apparus ceux qu'on a surnommés par la suite «les Trois Colombes»: Jean Marchand, qui a consacré sa vie à l'action syndicale — je le connaissais depuis l'université; Gérard Pelletier, actuellement ambassadeur du Canada à Paris; et, ironie du sort, le moins voulu des trois, celui qui deviendra, trois ans plus tard, le Premier ministre du Canada — jusqu'en 1959, je l'avais peu rencontré: Pierre Eliott Trudeau, professeur de droit à l'université de Montréal, engagé dans le nouveau parti fédéral socialisant, le N.P.D. J'avais retrouvé Jean Marchand, leader de la Confédération des travailleurs catholiques du Canada, au moment de la grève de Radio-Canada. J'avais connu, à ce moment aussi, son collègue Gérard Pelletier, qui devait devenir le rédacteur en chef de *La Presse* en 1961. Ces trois noms ont plongé ensemble en politique fédérale parce que le moment était alors favorable. Je ne veux absolument pas parler d'opportunisme, mais il faut bien dire que l'occasion fait très souvent le larron. C'était l'époque où l'on cherchait, à Ottawa, à installer des ministres francophones et à constituer un *French Power* pour faire illusion. La porte étant ouverte, ils n'eurent même pas à l'enfoncer! Ils avaient tous la quarantaine et se sentaient prêts pour une action politique — la suite nous l'a d'ailleurs confirmé —, et ils n'attendaient qu'une occasion. Pour être équitable, je crois que ces hommes ne sentaient pas de façon aussi viscérale que moi cette distinction entre le niveau fédéral et le niveau provincial. Trudeau, en particulier, n'est pas spécialement enraciné dans l'identité et la culture québécoises. C'est un fait, voilà tout. Il est pour moitié écossais et anglophone par sa mère, et pour moitié francophone et québécois français par son père. Gérard Pelletier et Jean Marchand n'ont jamais eu une conscience aiguë du contentieux existant entre le provincial et le fédéral. Pour eux, les niveaux étaient naturellement complémentaires... Ils n'ont jamais vu de raisons essentielles de les changer...

J'avais été le premier des quatre — car nous étions connus comme un groupe — à m'embarquer en 1960 dans l'action politique. Et je me souviens d'une rencontre que j'eus, quelque temps avant de prendre cette décision, avec l'un des hommes que je respecte le plus au fédéral: M. Stanley Knowles, qui est probablement très près d'être le doyen du Parlement fédéral. Il est en place depuis des lunes et des lunes, et il était à ce moment-là l'un des membres les plus actifs et les plus cotés du parti N.P.D., pour lequel j'aurais pu avoir quelque penchant... Je le rencontrai donc un après-midi chez mon frère, qui était proche de ces milieux-là, et il me proposa de faire le «saut» fédéral dans leur formation. C'est à ce moment précis que j'ai senti que cela m'était impossible, que je ne m'y serais pas senti vraiment chez moi... peut-être parce que je connaissais mieux le Canada que tous les autres. Comme journaliste, pendant des années depuis la Seconde Guerre mondiale, j'avais parcouru la Fédération, de l'Atlantique au Pacifique, plus d'une vingtaine de fois. Les événements m'amenant ici et là, j'avais cerné le pays dans tout son contexte, et, sans qu'il y ait encore de décision politique dans tout cela, inconsciemment, mieux je connaissais le Canada, et plus je me coupais de lui. Chaque fois que je sortais du Québec pour aller dans les autres provinces — et il faut dire que dans ces années-là c'était encore plus fréquent qu'aujourd'hui —, j'avais l'impression d'aller dans un pays étranger où ma langue n'était pas reçue, où mes façons de voir les choses, où ma manière de travailler ne «collaient» pas... Cela ne veut pas dire que je n'étais pas bien reçu. J'ai toujours été bilingue pour avoir appris l'anglais presque en naissant, mais je me sentais dans un contexte aliénant... Marchand, Pelletier et Trudeau n'avaient pas cette vision, leur appartenance à la langue et à la culture francophones n'entraînait pas chez eux une perception politique particulière de la société. Ils sont donc arrivés très vite au fédéral. Mais quand on me l'a proposé, je connaissais trop tout le pays pour pouvoir me sentir à l'aise dans un Cabinet qui fonctionne en anglais, qui est censé représenter mon pays, mais qui franchement ne me donne pas l'impression d'assurer une véritable représentation des intérêts au Québec. Je ne m'y serais jamais senti chez moi. D'instinct, je pris conscience de cet irrémédiable, à l'occasion du saut que M. Knowles me proposa de faire. Je sus alors que si je devais entrer un jour en politique, ce serait à Québec, et non pas à Ottawa. Mes anciens compagnons, Jean Marchand, Gérard Pelletier et Pierre Eliott Trudeau choisirent l'autre voie: ils furent élus députés fédéraux du Québec en 1965. En faisant carrière, Trudeau et Pelletier surtout se sont depuis lors sérieusement déracinés. Je ne sais s'ils en sont conscients. Si oui, ils doivent parfois se demander si le jeu en valait la chandelle!

— *Le parti libéral a perdu les élections en 1966. L'Union nationale arrive au pouvoir et Daniel Johnson lance la formule «Égalité ou Indépendance». Les cartes sont brouillées. Comment les hommes politiques québécois ont-ils réagi?*

— Un petit nombre a rejoint les mouvements indépendantistes, dont l'objet apparaissait pourtant plus irréalisable que jamais. Parmi les libéraux qui demeurèrent dans le parti, certains ont pris la décision d'aller à Ottawa, comme mes trois compagnons de discussions des années 1962-1963. Le parti libéral fédéral y était au pouvoir. Certains autres continuèrent à faire partie des libéraux de la province: ils sont revenus au pouvoir en 1970 avec Robert Bourassa. Pendant les semaines de 1967 où le Canada fêtait le centenaire de la Fédération et que les invités arrivaient pour l'Exposition de Montréal, il y avait une accalmie politique. Le cri de «Vive le Québec libre!» prononcé par de Gaulle le 24 juillet 1967 a mis le feu aux poudres. L'aile conservatrice du parti libéral, effrayée par l'indépendantisme, empêcha le vote d'une déclaration de soutien au Général. J'ai compris que mes thèses ne seraient jamais acceptées par le parti. Même Robert Bourassa, qui avait collaboré à la mise au point de notre première déclaration sur la souveraineté-association, ne voulait plus appuyer cette prise de position — pour des raisons monétaires, disait-il.

— *Cependant vous n'avez rompu avec le parti libéral qu'en 1967.*

— Au poste de ministre de la Famille et du Bien-être social (1965-1966), je sentais déjà se multiplier les pressions paralysantes. Les initiatives de déblocage avaient de plus en plus de mal à passer. Les assurances sociales, le téléphone, l'immigration, chaque fois c'était le cul-de-sac. Et puis, j'étais très gêné, c'est le moins que je puisse dire, par l'existence de caisses électorales et la provenance des fonds qui les alimentaient. Puis, le 5 juin 1966, l'Union nationale, dirigée par Daniel Johnson, remporta les élections. Mais notre plus grande surprise fut de constater ensuite que l'opposition du parti libéral était très molle. Ce qui lui manquait, c'était une orientation. Un groupe a essayé de réorganiser le parti. Peine perdue. Au congrès de 1967, nous avons proposé l'objectif de la souveraineté. J'essayai de montrer que le Québec «était une société sous-développée, sous-instruite, coloniale, manquant de richesse et de fierté, mais paradoxalement bien nourrie et confortable, endormie par ses élites et ses rois nègres...». Ce fut l'échec. On a donc décidé de sortir du parti, faute de pouvoir le réformer. Ceux qui, comme Bourassa, qui travaillait alors avec nous, ont essayé depuis de parler de fédéralisme rentable et de faire du triomphalisme sur les réformes en trompe-l'oeil ont échoué à leur tour.

— Quel jugement portez-vous maintenant sur la «révolution tranquille» à laquelle vous avez participé plus qu'aucun autre ministre du gouvernement Lesage?

— «Tranquille» laisse entendre que ce vieux Québec ne pouvait pas changer radicalement. Et pourtant, ce Québec, dont le système de valeurs avait éclaté, cherchait à s'organiser pour affronter le monde moderne. Jean Lesage était un grand Premier ministre. Très travailleur, nationaliste, il écoutait beaucoup. Le gouvernement a pu réaliser assez vite la nationalisation de l'électricité, mettre sur pied un Conseil d'orientation économique. En 1964, le gros effort devait porter sur la sidérurgie, la caisse de retraite et la loi «60», qui créait un ministère québécois de l'Éducation. D'un des niveaux les plus bas, le budget d'investissement dans ce secteur est devenu — pour le rester — l'un des plus élevés *(per capita)*, avec beaucoup d'erreurs de parcours: mais enfin, les

41

ressources humaines se sont développées. Il fallait en même temps des chances à peu près égales pour tous.

Dans le domaine de l'économie, la montée générale des attentes devait se heurter au mur d'un système colonial bien implanté, avec un statut de seconde zone réservé à la majorité francophone et un téléguidage systématique des décisions majeures à partir d'Ottawa et des sièges sociaux des sociétés étrangères. Avant 1966, le Parlement avait tout de même adopté des lois sur la Caisse des dépôts et de placements, un régime de négociations collectives pour les travailleurs du secteur public, une société publique d'exploration minière (SOQUEM). Pourtant, l'éclatant succès de la nationalisation de l'hydro-électricité en 1962 ne se répéta pas, comme un modèle, dans d'autres domaines. Celui des mines, par exemple. Pourtant, en 1965, accusé d'être manipulé par le syndicat des métallurgistes d'Amérique, je m'élevais contre la toute-puissance de la Noranda Mines, l'une des compagnies québécoises les plus importantes: «La politique de la Noranda Mines est d'écrabouiller la main-d'oeuvre par tous les moyens, d'infiltrer les syndicats, de saboter les unités de négociation et de leur refuser systématiquement ce que partout ailleurs on leur accorde depuis dix ans.»

Mais Jean Lesage, à la fin, s'était enfermé dans une sorte de solitude gaullienne, qui fut une des causes de la défaite. Une autre cause, plus fondamentale, fut sans doute que ce gouvernement n'avait pas osé définir une orientation sur l'avenir national. La «révolution tranquille» n'a finalement été qu'un ramassis de mesures prises selon les circonstances, mais qui ont tout de même assuré le décollage du Québec.

— *On a l'impression que le réformisme de cette période s'essouffle. Pourquoi le Québec a-t-il raté alors une occasion historique de faire son grand bond?*

— Quand on créa le ministère des Richesses naturelles, dont je fus le responsable, on «oublia» de mettre sous sa juridiction les compagnies de pulpe et de papier, alors que les concessions accordées à quatre sociétés géantes représentaient 70% des ressources forestières de la province. En fait, tout ce que je disais ou faisais était taxé de «socialisme». Des réalisations bien modestes et un rien de soupçon de pensée de gauche focalisaient l'attention. On sortait bien de quinze ans de conservatisme à la Duplessis. J'ai même été pris en sandwich entre les critiques droitistes traditionnelles et les voix de la nouvelle gauche, celles du parti socialiste du Québec. Et j'étais obligé de constater qu'aucun projet de planification économique n'avançait. Dans ce milieu de gouvernement, j'ai perdu beaucoup de mes illusions. Le parti libéral est tombé à son tour dans le guet-apens du rapprochement entre les puissances d'argent et les hommes au pouvoir. L'enthousiasme que nous avions fait naître est retombé. En fait, nous n'étions pas prêts à lancer les réformes, quand nous sommes arrivés en 1960. Il nous a fallu du temps pour mettre la machine en marche. Ce délai nous a empêchés de prendre notre erre d'aller.

— À quel moment avez-vous pensé à mettre en question publiquement le régime fédéral et à mûrir votre option québécoise?

— Sans doute en 1962, quand j'ai réussi à convaincre le parti libéral de nationaliser les entreprises privées d'électricité au Québec. Ce qui se fit le 1er mai 1963, quand l'Hydro-Québec prit possession de ces sociétés pour la somme de six cent quatre millions de dollars. J'ai bien senti à ce moment que même la nationalisation de l'électricité ou le plus large accès à l'enseignement — autre succès du gouvernement Lesage — n'étaient jamais que des mesures de remise en ordre qui n'auraient d'effet que bien plus tard. Il manquait au Québec de définir les grands objectifs et les moyens. En fait, cela supposait la remise en cause du fédéralisme et la marche vers la souveraineté. J'ai déclaré dès 1963 que le Canada était formé de deux nations et non de dix provinces, en ajoutant que je me sentais comme un indigène quittant sa réserve chaque fois que je sortais du Québec. J'ai contesté l'affectation de crédits fédéraux importants à la défense nationale. Je demandai alors la récupération par le Québec des impôts directs levés par Ottawa. J'attaquai la «Confédération»: «Le système actuel est anormal. C'est une jungle avec un monstre qui grandit démesurément, l'administration fédérale.» Déjà en 1964, je disais «le Québec étouffe dans les cadres d'une Confédération vieillie, désuète». Et je pressentais que le Québec serait «indépendant, libre arbitre de son destin dans les limites, bien sûr, qu'impose l'interdépendance des nations au XXe siècle». Mais d'autres rêvaient d'un fédéralisme différent. Le carrousel des slogans et des appellations en trompe-l'oeil commença. Les hommes politiques en sont prodigues. Claude Ryan confirmait par ses éditoriaux qu'il était résolument fédéraliste. Élu chef des libéraux, il l'est demeuré, et continue de chercher la quadrature du cercle d'un quelconque «fédéralisme renouvelé». Les jeunes étaient particulièrement mécontents.

— Le 24 juillet 1967, le général de Gaulle prononça son fameux «Vive le Québec libre!» du balcon de l'hôtel de ville de Montréal. Cette journée a-t-elle été décisive pour les mouvements indépendantistes? Dans quelle mesure devez-vous à cette déclaration d'être au pouvoir?

— Mon choix est devenu public quelques mois après le voyage du Général, au cours de l'automne 1967. Le mouvement Souveraineté-Association a été créé officiellement entre la fin d'octobre et le début de novembre 1967. Mais notre décision était prise depuis longtemps déjà, puisque nous en parlions dès 1966. Je me souviens que l'un d'entre nous, qui était député libéral, François Aquin, qui n'est plus dans l'action politique aujourd'hui, était porté plus que nous à nouer des relations étroites avec l'Europe. Je crois que son passé d'étudiant, ses lectures aussi l'avaient profondément imprégné de cette culture européenne qui l'attirait beaucoup, et il décida, au lendemain du «Vive le Québec libre!» du général de Gaulle, d'applaudir à tout rompre et de faire une déclaration officielle. Il devait peu après devenir le premier député indépendantiste.

45

Parce que nous étions tous encore libéraux pour quelques mois, et même si nous ne prisions guère l'attitude hargneuse du parti libéral à l'endroit de de Gaulle, nous avons tenté jusqu'au dernier moment de convaincre Aquin de renoncer à ses déclarations. Il tint bon et décida de faire cavalier seul. On ne tarda pas à lui «coller» l'étiquette de député gaulliste. C'est justement ce que nous voulions éviter au mouvement dont nous avions l'idée depuis plus d'un an. Vous trouvez là une des raisons majeures qui nous ont fait retarder la création du mouvement dont le dessein allait dans le sens du cri du Général. Ce n'est pas vouloir diminuer l'impact de la déclaration de de Gaulle. Nous lui gardons au contraire une grande reconnaissance de nous avoir, par ce bienheureux impair, fait connaître au monde entier. Il était essentiel que notre décision ne parût pas parachutée d'ailleurs, tant il fallait que nous gommions nos anciens réflexes de colonisés et de «suiveux».

— *Mais dans la confusion de ce jour de l'été 1967, quelles ont été vos impressions?*

— Après l'incident du balcon, dont tout le monde parle encore aujourd'hui, je me mêlai à la foule pour parvenir jusqu'à l'endroit où j'avais laissé ma voiture, non loin de l'hôtel de ville, et chemin faisant je croisai un groupe de jeunes gens très excités qui scandaient joyeusement: «Québec libre! Oui, oui, oui! de Gaulle l'a dit! Oui, oui, oui!» Cela me donna la conviction très nette qu'il fallait faire très attention, et ne pas nous lancer dans la foulée du Général, avec tous les risques d'apparaître comme les épigones de de Gaulle.

Quand de Gaulle a quitté le pouvoir, et à plus forte raison quand il a disparu, nous avons essayé le mieux possible de marquer, non seulement l'importance historique de l'homme, mais aussi cette très précise perception, très concrète aussi, qu'il avait révélée du dossier québécois. Dès son retour en France, il tint à expliquer ses propos. Et je me souviens que dans toutes ses déclarations, que nous avons scrutées à la loupe, je n'ai jamais retenu quoi que ce fût qui pouvait passer pour ingérence ou déformation de la vérité. J'ai beaucoup regretté, plus tard, de lire que cet incident avait entraîné pour le Général de nombreuses réactions négatives. Dans l'esprit de certains groupes de gauche en France, qui d'ailleurs ont mis beaucoup de temps à se faire une idée précise de la situation actuelle de notre pays, il semblait que le problème du Québec était une invention du général de Gaulle.

— *En 1967, vous quittiez les rangs du parti libéral pour fonder votre propre parti. Dix ans plus tard, vous vous retrouvez Premier ministre. Que s'est-il passé entre les deux?*

— À peine un mois et demi après ma démission, quelques amis et moi-même, nous avons réuni plusieurs centaines de personnes et décidé de fonder, avant la fin de 1967, le mouvement Souveraineté-Association, qui était un peu une auberge espagnole. Nous pouvions regrouper des hommes qui étaient déjà sur la même voie que nous, et notamment le Rassemblement pour l'indépendance nationale (R.I.N.) de Bourgault et d'Allemagne. C'est ce qui s'est fait en 1968, lors de la constitution du parti québécois. Depuis, il y a toujours dans le parti diverses tendances, celle plus «dure» issue du R.I.N., celle plus évolutive issue du mouvement Souveraineté-Association, puis aussi celles qui mettent le social avant le national, et l'inverse. Mais toutes ces tendances estiment que le changement s'obtiendra par la prise de conscience des Québécois eux-mêmes, dans le respect des institutions et sans recours à la violence. Une violence définitivement condamnée par l'échec des terroristes du Front de libération du Québec, dont l'idéologie était un mélange désespérant d'anarcho-nationalisme et de marxisme de maternelle. Dès 1968, le P.Q. a donc réussi à unifier la presque totalité des courants indépendants autour de l'idée de souveraineté-association. Le parti est devenu un grand parti populaire, dont les caisses sont alimentées par les contributions volontaires de ses membres. Parallèlement, la longue marche a commencé, dont la régularité a été dissimulée par le caractère déformant du mode de scrutin: 1970, 7 sièges; 1973, 6 sièges; et puis le raz de marée de 1976, avec 71 sièges. En fait, l'idée d'un parti «indépendantiste» qui serait en même temps dans la mouvance d'une social-démocratie à la scandinave (ce qui est le maximum de «progressisme» pour une gauche sérieuse en contexte nord-américain), tout cela répondait à de longues nostalgies et à des aspirations profondes. Je crois que nous en avons fait la preuve.

— Vous faites de la politique depuis dix-sept ans. Cela n'a, apparemment, rien changé à la modestie de votre mode de vie...

— Je n'ai jamais eu des goûts dispendieux. Après la défaite de 1966, que le parti libéral était allé chercher, faute d'envisager la suite logique de ses premiers succès, j'aurais pu trouver une sécurité matérielle dans l'administration, l'enseignement ou quelque fonction fédérale. J'ai préféré prendre part à la fondation de notre parti et vivre de mon indemnité parlementaire, puis, quand j'ai été battu, de ma pension et de mes articles de rédacteur. Mais qu'on se rassure, je mange trois fois par jour, et j'ai le temps et les moyens de prendre des vacances au moins une fois dans l'année. Davantage quand je peux le faire. Et je réussis tout de même à trouver quelque temps de loisirs pour voir un certain nombre d'amis, dont les plus proches sont naturellement parmi les «péquistes». Nous travaillons ensemble depuis tant d'années, et notre confiance partagée nous rapproche et crée des liens entre nous. Mais un certain nombre de mes amis ne partagent pas mes opinions. N'empêche que je les rencontre avec un plaisir tout particulier, car j'aime retrouver avec une sorte d'opposition et de provocation vivifiante, qui nous poussent bien souvent à nous «engueuler».

À ces dix-sept ans de politique, on pourrait ajouter les années pendant lesquelles j'ai travaillé pour la télévision, c'est-à-dire depuis le milieu des années 50, car cette carrière m'avait déjà donné tous les traits du personnage public, obligé, même dans ce milieu, de protéger sa vie personnelle.

49

D'étape en étape, je suis encore là, et tant que j'aurai la santé indispensable, tant qu'on m'endurera, je continuerai. Je suis «employé» au maximum, et je pense que c'est l'essentiel. Il n'est pas un emploi qui sollicite autant, et parfois au delà de ses propres limites, tout ce que modestement on peut avoir d'expérience et de jugement. L'essentiel du pouvoir, c'est peut-être justement cette sensation très intense de fonctionner comme jamais il ne nous serait donné de le faire autrement. Dans ce seul sens, le pouvoir m'a tourné la tête!

— *Des rumeurs ont circulé sur votre état de santé, et même sur un complot dirigé contre vous. C'est une manière de parler de votre succession.*

— On peut éliminer le complot tout de suite. Ce genre de rumeurs ne cessera pas tant que durera le suspense sur l'avenir politique du Québec. Des milieux, des cercles faciles à identifier ont un intérêt évident à essayer de déstabiliser le Québec et son gouvernement, voire son économie, parce que c'est la réaction normale de milieux métropolitains par rapport à la colonie. Jusqu'au moment où la «colonie» s'émancipera, il est normal et même prévisible que ces milieux tentent d'éveiller des paniques. Attentats, complots... cela fait partie des risques du métier. Toutes nos sociétés sont exposées à des violences de plus en plus inquiétantes, dont les victimes ne sont pas uniquement des hommes politiques. La résurgence de cette violence indique que quelque chose s'effrite dans nos valeurs.

Pour ce qui est de la santé, je suis un de ceux dont on dit qu'il a une mauvaise santé, mais c'en est une de fer. J'ai souvent l'air fragile, et quelque peu miné même. Cela dure depuis vingt ans, et je n'ai jamais été vraiment malade.

Quant à la succession éventuelle, je puis vous assurer qu'il n'y a aucun problème. Il suffit de penser au «bassin» de recrutement du parti, qui a aujourd'hui des racines un peu partout. Le parti québécois rassemble une vaste majorité des gens les plus évolués, les nouvelles élites, les leaders les plus marquants de la génération de trente à quarante-cinq ans. On en retrouve d'ailleurs un certain nombre, et parmi les meilleurs, au Conseil des ministres et parmi les députés. Le problème de la succession se posera uniquement en termes d'embarras de richesses.

— Quelles furent les conséquences de la crise d'octobre 1970?

— D'abord, c'en était fait de la réputation de défenseurs des libertés individuelles dont Trudeau, surtout, et Bourassa aussi, au niveau provincial, se targuaient. Le gouvernement dit «libéral» de Québec accepta une vague de plus de quatre cent cinquante arrestations et plus de trois mille perquisitions sans mandat. Quatre cent au moins des personnes arrêtées furent finalement relâchées sans aucune inculpation, mais pendant plusieurs jours elles étaient restées en prison, avaient été fichées, photographiées, sans communication avec parents et avocats. De plus, cette crise en cachait une autre, plus profonde.

Les Québécois francophones devenaient au Québec même des marginaux. Le français ne pouvait pas être utilisé dans les grandes entreprises. À peine 10% de nouveaux immigrants entraient dans les écoles francophones. Les francophones avaient les revenus les moins élevés. Enfin, de cette crise, le gouvernement provincial sortait encore plus affaibli dans ses rapports avec Ottawa. Le gouvernement fédéral apparaissait comme le plus fort. À Québec, il n'y avait pas de pouvoir réel.

Deuxième Partie

L'EXPÉRIENCE DU POUVOIR

— *Le 15 novembre 1976, en vous accordant 41%
des suffrages, les Québécois ont assuré la victoire du
parti québécois. Dans votre première déclaration,
vous avez dit avec beaucoup d'émotion: «Je n'ai
jamais été aussi fier que ce soir d'être québécois.»
Pourtant, il y a une marge entre cette victoire et le
référendum qui devra décider de l'indépendance du
Québec.*

— Oui, mais ce 15 novembre 1976, les Québécois
ont eu le courage de faire le pas décisif. En confiant
le gouvernement du Québec non aux libéraux mais
aux «péquistes», ils ont vaincu une peur longue de
deux siècles. Colonie française, ensuite colonie britannique, enfin province colonisée, le Québec n'a jamais
pris lui-même les décisions qui le concernaient. Hier
encore, le gouvernement des Québécois s'est toujours
décidé ailleurs, moins à Québec qu'à Ottawa, ou
même à Montréal dans certains cercles. Tous les efforts que nous avons poursuivis depuis deux ans que
nous sommes au pouvoir n'ont qu'un seul objectif:
reprendre en main nos affaires. À commencer par un
contrôle suffisant de notre vie économique, qui seul
peut assurer la survie et le développement de notre
langue et de notre identité nationale.

— Comment s'est déroulée la passation des pouvoirs avec Robert Bourassa?

— D'une façon assez décontractée. Au départ, forcément, nous étions un peu tendus, un peu gauches, surtout devant toute la batterie de caméras et la foule des journalistes qui tiennent à assister à ce genre d'événement. Plus tard, nous sommes allés déjeuner ensemble, ce qui est la tradition. Sans entrer dans les détails, Robert Bourassa m'a donné une sorte d'aperçu sur de nombreux points. Mais c'était d'une façon un peu amère. Ce qui se comprend à cause des incidents survenus lors de sa campagne électorale, qui avait été très pénible, pour lui-même et tout son entourage. Les Québécois reprochaient au gouvernement de Robert Bourassa d'avoir détérioré ses relations avec le mouvement syndical ouvrier en 1976, au cours d'une série de grèves qui frappa les services publics de la province. De plus, chaque fois que l'on avançait, on butait sur la corruption, les «imprudences» de certains, proches du pouvoir. Le projet de loi «22», qui avait prétendu régler le problème de la langue, surtout dans les écoles, n'avait en fait réussi qu'à déchirer le Québec, en divisant les supporteurs anglophones du parti libéral. Ce jour de la passation des pouvoirs, nous avons envisagé les délais nécessaires pour que lui-même et son gouvernement quittent les lieux. Nous avons parlé du moment où nous pourrions entrer en fonction. Nous avons discuté de la situation économique, du budget et de certains des problèmes urgents qui seraient très vite notre héritage. En fait, nous étions détendus et soulagés surtout.

*— Quels sont, d'après vous, les facteurs princi-
paux qui ont déterminé, avec la chute du gouvernement Bourassa et le revirement spectaculaire de
l'opinion publique, la prise du pouvoir par votre
parti?*

— Quand un gouvernement est battu, il en
est responsable pour les trois quarts au moins.
Quels que soient les facteurs qui ont poussé l'é-
lectorat à changer d'équipe, il est évident que le
sentiment d'«assez vu», de «ras-le-bol» a joué beaucoup. Quand cela se produit, il n'y a plus rien à
faire... Il reste que si tout cela fut particulièrement
pénible pour Bourassa et son entourage, c'est qu'il y
a eu vraiment une rupture de contact avec la population, dont il ne semblait pas s'être aperçu. Peut-être
est-ce une des retombées de la crise d'octobre 1970.
Le gouvernement, avec son chef et aussi son ministre
de la Justice, s'est claquemuré, d'une façon qui n'a-
vait pas eu de précédent, dans un isolement accentué
par le système de sécurité, dicté, je suppose, par les
circonstances. Puis c'est devenu plus ou moins une
habitude permanente, de s'isoler, d'être bardé de
remparts de sécurité. Nous avons dû, lors de notre
arrivée au pouvoir, secouer cet appareil de police et
ouvrir grand les portes. Le siège du gouvernement,
qui est et doit demeurer public, ressemblait surtout,
à ce moment-là, à une forteresse. Cette rupture entre
le peuple et le gouvernement explique, sans doute,
certains échecs politiques et économiques de Robert
Bourassa. Le pouvoir corrompt... on le dit... Cela
faisait six ans que ce gouvernement libéral était en
place. Le parti dans lequel j'avais commencé avait

essayé de se réformer pendant la période sage de la «révolution tranquille» des années 60. Il avait même réussi un certain nombre de réformes importantes; mais après cette période de renouveau des années 60, quand Bourassa est arrivé au pouvoir en 1970, il avait fait entrer dans son équipe beaucoup de laisséspour-compte de l'ancien gouvernement Lesage. Disons que très peu de réformateurs rigoureux se trouvaient dans l'entourage de Bourassa. En huit ans, tout s'est affaibli, et même émietté pendant la dernière année. Ce pourrissement touchait même l'Administration. Une sorte de laxisme s'était installé autour des grandes régies et des sociétés d'État. Des scandales éclataient, d'autres couvaient. La collusion entre l'État et les groupes d'intérêts était flagrante.

— L'opposition souligne que vous avez été élu moins sur un projet «souverainiste» que sur un projet de redressement économique et politique. Les Québécois vous auraient-ils simplement élu pour renverser l'équipe impopulaire de Robert Bourassa?

— Nos adversaires n'arriveront pas à voler au parti québécois la victoire qu'il a remportée le 15 novembre 1976. Ils n'ont pas cessé, avant le scrutin, de prévenir les Québécois contre les conséquences apocalyptiques, disaient-ils, pour l'unité canadienne d'un vote «péquiste», c'est-à-dire séparatiste. Les électeurs n'ont pas voulu entendre ces Cassandres. Il y a donc quelque malhonnêteté à réduire la portée du scrutin du 15 novembre 1976. D'autant plus que cette victoire s'inscrit dans une «longue marche» des nationalistes. Ne parlons même pas du XIXe siècle, de la révolte de Papineau ou de celle du Bas-Canada en 1837. Mais depuis les années 40 toutes les élections ont été remportées au Québec sur des «programmes nationalistes»: le «Bloc populaire» des années de guerre, le nationalisme chauvin de M. Duplessis, le «Maîtres chez nous» de Lesage, et l'Égalité ou Indépendance» de Daniel Johnson. Depuis une douzaine d'années, la progression des partisans de la souveraineté est continue. Ce qui a fait illusion, c'est le nombre de sièges à l'Assemblée nationale: en 1970, le parti québécois rassemblait 23% des suffrages, mais n'occupait que 7 sièges; en 1973, il n'en occupe que 6, mais il rassemble 30% des suffrages, soit un francophone sur deux. La victoire du 15 novembre 1976 est donc un aboutissement. C'est aussi un début. L'enthousiasme qui a fait tache d'huile le soir des élections, le sentiment de fierté qui a gagné tous les Canadiens francophones, québécois, ou minorités menacées des autres provinces, péquistes ou non péquistes, montrent que le mouvement est irréversible. Le Québec a basculé. Une prise de conscience s'est produite, qui ne peut disparaître. Le 15 novembre 1976 est un point de non-retour.

— *Quel héritage avez-vous trouvé à votre arrivée au pouvoir?*

— D'abord une situation financière très serrée. Nous vivons encore sur les retombées assez pénibles de cette orgie de dépenses qui avait accompagné les jeux Olympiques. Cela, ajouté à quelques autres facilités, avait amené le Québec et ses six millions d'habitants à devenir un des plus gros emprunteurs internationaux. Le rythme, la cadence des emprunts était passée de 6%, quelques années auparavant, à 12% du produit national brut. 12%, c'était excessif, et il fallait comprimer ce taux. Il fallait également remettre de l'ordre dans l'ensemble des opérations budgétaires.

Le gouvernement fut assermenté à la fin de novembre 1976. Dès le mois de décembre, nous avons réuni d'urgence, presque dans la panique, une session spéciale de l'Assemblée nationale, qui dut organiser très rapidement certaines échéances du 31 décembre.

Pour commencer ce travail d'assainissement, nous avons tranché douloureusement en imposant à l'administration de la ville de Montréal, qui ne voulait pas l'assumer, plus de 200 millions de taxes nouvelles, étalées sur plusieurs années évidemment. Ces taxes doivent couvrir 200 millions de «dettes olympiques» que la ville avait contractées, et qu'il était absolument essentiel, pour son propre crédit, de lui faire assumer. À partir du moment où un pays s'adresse régulièrement au marché extérieur pour emprunter, le crédit, la «cote d'emprunt», comme on dit, doit être solide. Jacques Parizeau n'a pas mâché ses mots dans son discours sur le budget 1977. Nous avons été obligés de comprimer, de serrer la ceinture des ministres à peu près dans chaque secteur. Résultat de cette politique courageuse: les milieux américains les plus sérieux ont confirmé le crédit du Québec et de l'Hydro-Québec. Nous sommes d'autant plus satisfaits de cette première étape d'assainissement, que de noirs soupçons étaient suscités par certains de nos adversaires. On essayait de nous caricaturer, on tente encore de nous dépeindre sous les traits d'aventuriers qui ne savent pas calculer. Il était d'autant plus important de prouver que nous savons le faire. Nous avons réussi notre opération. Le placement des emprunts du gouvernement québécois ou de l'Hydro-Québec, aussi bien en Allemagne qu'en Suisse ou sur le marché de l'eurodollar, ou aux États-Unis bien entendu, a servi en partie à réajuster notre image de pays sérieux — et l'image compte tellement dans ces milieux-là — et à faire progressivement la preuve de la santé des opérations financières québécoises.

— Croyez-vous que le rapatriement et la refonte de la Constitution, tels que projetés par le gouvernement Trudeau, puissent avantager le Québec?

— Si le référendum est décisif, comme nous l'espérons, la Constitution fédérale, d'origine britannique, deviendra automatiquement une pièce de musée. C'est pourquoi nous considérons comme profondément insuffisants les récents projets, présentés en juin 1978, par M. Pierre Eliott Trudeau et visant au «rapatriement» et à la refonte de la Constitution. Vieilles questions que plusieurs conférences fédérales-provinciales n'ont pas réussi à trancher... parce que les provinces craignent d'y perdre les garanties d'autonomie assurées par l'Acte de l'Amérique britannique du Nord, mais grignotées par Ottawa. L'échec constant de ces tentatives périodiquement renouvelées, cependant, tient surtout à une contradiction fondamentale qui dure depuis les débuts; entre le peuple français du Québec, qui a besoin d'autonomie, de plus en plus de *self-government,* et le peuple anglo-canadien, qui s'accommoderait fort bien d'un régime de plus en plus centralisé, puisque c'est lui qui le contrôlerait.

— Depuis le 15 novembre 1976, l'optimisme officiel est de rigueur. Pourtant rien n'est définitivement gagné. N'avez-vous pas été tenaillé par la crainte de l'échec?

— Je me couche, je dors, je me réveille avec le sentiment de l'urgence. Le poids relatif du Québec, à cause de sa dénatalité, à cause de la faiblesse de son immigration par rapport à l'Ontario notamment, diminue sans cesse, de recensement en recensement, à l'intérieur de l'ensemble canadien. Le poids socio-économique de la province, par voie de conséquence, diminue aussi, par rapport au développement plus rapide que connaît l'ouest du Canada. Mais le sentiment d'urgence vient d'un autre fait. Le parti québécois est l'héritier de mouvements divers, plus ou moins organisés, qui datent des environs des années 30. C'étaient de petits groupes, des «voix dans le désert» qui prêchaient l'émancipation, faisaient leur tour de piste et disparaissaient. Vers les années 60, des groupements organisés sont apparus, qui présentaient des candidats. Créé il y a dix ans, le parti québécois a été l'aboutissement même de toute cette série d'étapes, qui ont demandé des efforts, des dépenses d'énergie, des dévouements inimaginables. L'idée d'émancipation a littéralement pris par les tripes les gens qui la défendent. Il serait très difficile, si tout devait rater, ou être simplement retardé, de recharger les batteries, de relancer les énergies, et de faire repartir un autre mouvement, ou même de faire survivre le mouvement actuel, après une longue période dépressive qui suivrait un échec de la volonté d'émancipation.

— *Dans les milieux financiers, le discours que vous avez prononcé en janvier 1977 à l'Economic Club de New York a été considéré à la fois comme imprudent et téméraire...*

— Mais bien sûr! Étant arrivé au gouvernement, le parti québécois aurait dû, selon nos Cassandres professionnelles, s'abstenir d'aborder deux sujets: son programme «social-démocrate» et son objectif indépendantiste. C'est au prix du silence qu'aurait pu être maintenue la confiance à la fois dans le crédit du Québec et dans son économie. J'ai choisi de parler. J'ai pu donner toutes les assurances qu'il fallait à ceux qui auraient pu penser que ce qui se préparait pour le Québec constituait, en quelque sorte, une expérience «à la cubaine». Beaucoup de propositions du parti québécois s'apparentaient plus ou moins à des propositions semblables mises en avant dans les autres provinces ou au palier fédéral. Pourquoi la volonté du Québec d'intervenir dans le domaine de l'amiante serait-elle considérée comme une attitude dangereuse? Ottawa agit de même dans la réorganisation de l'industrie aéronautique, la création de Pétro-Canada. La Saskatchewan fait de même dans le secteur de la potasse. Et les approches de notre nouveau gouvernement en matière d'assurance auto-mobile ne sont pas si révolutionnaires dans le présent contexte canadien.

Il aurait été facile, nous dit-on, d'éviter l'écart entre les prix des obligations du Québec et celles de l'Ontario, si seulement on avait consenti à être silencieux sur ces questions politiques combien désagréables!

Malheureusement, on n'a pas assez bien examiné ce qui se passe en fait sur les places financières. Chaque fois que le gouvernement change au Québec, le prix des obligations du Québec baisse pendant quelques mois, au moins au Canada. Mais en vérité les plus grands écarts entre l'Ontario et le Québec ne sont pas apparus à la suite de la victoire du parti québécois. C'est plutôt, curieusement, dans les mois qui ont suivi la prise du pouvoir par le gouvernement Bourassa en 1970 qu'ils se sont produits. Et pourtant, quoi de plus «orthodoxe» que ce gouvernement-là!

— L'incertitude politique provoquée par l'arrivée au pouvoir du P.Q. n'a-t-elle pas été l'une des causes du ralentissement économique?

— De nombreux anglophones et une partie des milieux d'affaires ont été effectivement rendus inquiets, peut-être même affolés, par l'arrivée au pouvoir d'un parti indépendantiste et «social-démocrate». Mais dans le mélange de vraies et de fausses rumeurs que nous connaissons, il est difficile de faire la part entre ce qui concerne la conjoncture de l'économie, et la poursuite d'une longue et tenace option de changement pour la société et l'organisation politique du Québec. Il est exact que 91 sièges sociaux ont été transférés hors du Québec dans le climat de panique fabriquée des débuts. Mais 79 d'entre eux n'avaient même pas de numéro de téléphone dans l'annuaire officiel de Montréal! C'est de l'intoxication. Jacques Parizeau le déclarait, lors de la présentation du budget 1978-1979: «Dénoncer le salaire minimum à 3 dollars, alors que, sous l'ancien gouvernement, un salaire minimum de 2,87 dollars était accepté, c'est du symbolisme et de l'enfantillage. Faire un plat avec des règlements de la loi 101 applicables aux sièges sociaux, alors qu'ils ne sont pas connus, et que la loi en fait spécifiquement des exceptions, c'est de la politique dans le sens le plus traditionnel. Le référendum influence fort peu le prix du cuivre à Londres. Et ce n'est pas le débat sur l'unité nationale qui a provoqué la construction de trop d'hôtels au centre de Montréal. Je reconnaîtrai tout au plus que les discussions politiques au Québec sont responsables de la mise sur le marché de quelques milliers de maisons dans l'ouest de la métropole, et que cela a pesé sur les nouvelles constructions en 1977.»

— *La vie canadienne est ponctuée par des surenchères et des affrontements entre le fédéral et le provincial. Quelle était l'importance du rôle joué par Ottawa à votre arrivée au pouvoir?*

— Prenons notre situation en décembre 1976. Le gouvernement provincial disposait alors de ressources limitées pour mettre en oeuvre ses priorités. Les Québécois supportaient déjà un effort fiscal très élevé par rapport aux autres provinces. En revanche, le fédéral, en plus de ses autres pouvoirs, sur la politique monétaire et tarifaire spécialement, disposait et dispose toujours de plus larges crédits de manoeuvre pour ses interventions. Celles-ci ne se contentent pas des secteurs qui sont normalement réservés à Ottawa par la Constitution, mais empiètent sans vergogne, de plus en plus souvent pendant la décennie du gouvernement Trudeau, sur les champs qui appartiennent aux provinces. Par son pouvoir illimité de dépenser, par le chantage que cela lui permet d'exercer, le fédéral est ainsi parvenu à orienter l'organisation économique et sociale du Canada. La situation est particulièrement grave pour le Québec, qui supporte des charges plus lourdes puisqu'il applique, depuis la «révolution tranquille», des programmes qui lui sont propres.

— Le Québec n'est tout de même pas démuni. Il dispose de la moitié des ressources fiscales levées sur son territoire...

— Plus ou moins. Mais la portion la plus stratégique, celle qui affecte le plus le développement, demeure entre les mains du fédéral. N'empêche qu'effectivement le Québec détient une masse fiscale importante, quoique d'un emploi bien moins souple que celle d'Ottawa. Nous disposons de plus d'un «bras séculier» avec les sociétés d'État dont on n'a pas appris à se servir avec toute l'efficacité désirable.

Jouissant de l'autonomie administrative, elles développent parfois des projets d'expansion qui manquent de liaison avec les projets des sociétés soeurs. Il faut donc coordonner davantage leurs actions. Une politique d'achats plus systématiquement orientée vers l'industrie québécoise permettrait aussi de consolider et de moderniser notre industrie et de créer de nouveaux secteurs, notamment de transformation. Moins de 3% de la fibre d'amiante extraite du Québec donne lieu à une opération de fabrication. On a calculé que si 20% de la fibre était manufacturé au Québec, on créerait près de 8 000 emplois, c'est-à-dire que l'on doublerait, et au-delà, le nombre d'emplois existant dans l'extraction. Ce qui ne serait pas négligeable, puisque en 1977 nous avons perdu 29 000 emplois dans les secteurs «mous» de notre industrie, mis en péril par une augmentation d'importations que des mesures de protection exceptionnelles n'ont pu enrayer quelque peu que vers la fin de 1977. Savez-vous qu'à une époque, les acheteurs du parc de voitures officielles devaient obéir à des normes d'empattement qui interdisaient tout achat de voitures Renault sortant d'une usine québécoise dont le gouvernement était le principal actionnaire! Simple illustration d'une incohérence politico-économique qui est un legs de la trop longue tradition de dépendance et, partant, d'irresponsabilité que le Québec a connue longtemps.

— *Vous avez souvent affirmé que le Québec détenait une «triple couronne»: celle de l'endettement accéléré, celle des taxes excessives et celle d'un chômage chronique.*

— Eh bien, en moins de deux ans, l'endettement a été réduit, puisque les besoins de financement ne représentent plus, en 1977, que 9% des revenus de la province contre 14% pour l'Ontario et 25% pour Ottawa. En 1977, nous n'avions rien fait pour soulager le fardeau fiscal des Québécois. Nous avions réduit au contraire les impôts sur les sociétés, ce qui est peu habituel pour des sociaux-démocrates, mais qui était dicté par un souci proprement angoissé de relance économique. Mais dans le budget de cette année, nous avons pu procéder à plusieurs réductions d'impôts en faveur des particuliers, d'un montant de 300 millions de dollars en 1978, et de 500 millions en 1979. Pour le chômage, les résultats sont les moins évidents. C'est que nous n'avons pas en main les véritables leviers de la politique économique, que le fédéral conserve. D'autre part, le Québec continue de jouir d'un crédit que les partisans de la politique du pire n'ont pas réussi à entamer. Le chantage à la catastrophe n'a pas gagné la partie, malgré la montée du chômage. Le jour où les Québécois seront maîtres de leurs ressources et de leur économie, nous pourrons aller encore plus avant.

— *Quels sont vos projets à moyen terme en matière de réformes économiques et sociales?*

— Il n'est pas question de s'imaginer qu'on peut réformer en quelques mois ce qui a demandé dix ans d'efforts ailleurs. Ce qui ne signifie pas que nous renoncions à accélérer certains processus, en partant de l'expérience tirée de l'évolution des sociétés qui nous servent éventuellement de modèles. Mais il n'est pas question de plaquer instantanément sur notre société des solutions étrangères. Ce serait risquer une chute à très court terme. Quand on parle de pays industrialisés de haut niveau de vie, de sociétés de consommation, nous nous trouvons forcément devant des problèmes analogues, parfois même tout à fait comparables. Les modèles étrangers nous servent et doivent nous inspirer. Mais encore une fois, il nous faut tenir compte du rythme qu'il a fallu introduire ailleurs pour arriver à de tels résultats. En somme, nous voulons adapter certaines innovations au rythme et à la capacité d'absorption de la société québécoise.

— *Malgré votre popularité, certains milieux québécois qui attendent une transformation de leur société incriminent déjà votre prudence et regrettent que les réformes tardent à venir.*

— Gérard Pelletier, mon ami mais aussi mon adversaire sur le plan politique, avait déjà dit, dans une sorte de semi-testament politique qu'il avait fait connaître au cours d'une conférence de presse, avant son départ pour Paris: «Le Québec devient ingouvernable!» Je ne suis pas d'accord avec son pessimisme.

Revenons à une quinzaine d'années en arrière. On avait lancé le slogan de «révolution tranquille». L'adjectif «tranquille» était employé pour rassurer, parce que aucune révolution n'est vraiment tranquille. Mais déjà en 1960 c'était une révolution, au sens vrai du mot, qui impliquait un changement fondamental.

Cela s'est fait vite au Québec, et cela va loin. Notre société rurale et cléricale a littéralement éclaté! Depuis la fin de la Seconde Guerre mondiale jusqu'aux années 60, cela avait bouillonné, mijoté. Les couvercles qui avaient retenu la vapeur pendant trop longtemps ont sauté. Il est évident qu'une société qui, en moins d'une génération, a changé totalement de cap, sous le coup des grands courants d'évolution de notre époque, est une société foncièrement installée dans l'instabilité. Le pessimiste en conclut que cette société est ingouvernable. L'optimiste, lui — c'est mon cas —, qui croit à la force de la volonté, pense aussi que les hommes, à condition qu'ils sachent ce qu'ils veulent, peuvent orienter leur histoire. Il se dit qu'il peut compter sur le potentiel extraordinaire rassemblé par le nouvel élan et la renaissance que le Québec connaît.

— Certains Québécois murmurent pourtant que votre gouvernement ne s'engage pas assez et qu'il fait preuve d'opportunisme politique.

— Le référendum est pour nous un objectif fondamental. Nous devons mettre absolument toutes les chances de notre côté, afin de nous assurer la victoire. Faisons l'hypothèse que le référendum ait lieu dans deux ans. Sur un cycle de deux ans, de combien de questions essentielles pouvons-nous nous occuper? Nous devons essayer d'en régler le maximum avant d'arriver au référendum, car il n'est pas question de laisser traîner certains problèmes en longueur. Mais comment concilier tout cela, de façon à garder le maximum de nos chances, dans chaque secteur chaud, au moment du référendum? Prenez le cas de l'éducation. Il y a des changements à introduire, c'est certain: les carences sont nombreuses. Un livre vert a été publié, où nous proposons un certain nombre d'aménagements. Nous savons très bien que la discussion ne pouvant s'éterniser dans ce cycle de trois ans, il faudra établir un échéancier des réformes qui paraîtront les plus indiquées. Mais on devra tenir compte aussi de cette échéance du référendum, et de la capacité d'absorption par la société québécoise des réformes prioritaires. Ce n'est pas facile de faire notre travail de sociaux-démocrates, de bons administrateurs et de réformateurs dans une foule de secteurs, sans risquer de compromettre l'échéance centrale, la décision démocratique sur l'avenir.

— Ne craignez-vous pas que, usé par les premiers mois de pouvoir, comme cela arrive souvent en politique vous ne puissiez plus tenir le rythme des réformes?

— Pour un nouveau gouvernement qui arrive, et ce fut notre cas à la fin de novembre 1976, avec une seule personne qui ait eu l'expérience du pouvoir, la tâche la plus urgente est de faire un apprentissage rapide. La première année est nécessairement une année de rodage et de réalisaton des engagements. C'est dans cette perspective que nous avions insisté pour que le nombre de nos engagements électoraux soit très restreint, et que chacun de ces engagements soit bien défini. Il y en avait neuf, si j'ai bonne mémoire.

Le tout premier était d'éliminer, ce qui n'a jamais été fait dans aucune autre des sociétés dites démocratiques, les relations entre l'argent et la politique. Autrement dit, ce qu'on appelle couramment «les caisses», toujours couvertes par le secret. Nous avons décidé, pour abolir le pouvoir coulissier des caisses, de voter un projet de loi qui obligera chaque parti à révéler chaque année, et sous serment, ses sources de revenus, qui doivent demeurer vérifiables. Étant bien entendu que ces partis recevront en contrepartie un financement additionnel de l'État pour les opérations de secrétariat et d'organisation. Nous considérons que la vie des partis doit être entretenue par les citoyens. C'est pour nous un principe de base. Si les membres d'un syndicat, si les actionnaires d'une compagnie veulent y contribuer, ils peuvent toujours le faire, mais individuellement, en tant que citoyens.

Autre engagement auquel je tenais beaucoup: je voulais commencer rapidement à instaurer une politique plus «civilisée» à l'égard du troisième âge. Après en avoir longuement discuté, nous avons décidé la gratuité pure et simple des médicaments pour toutes les personnes âgées de 65 ans et plus.

Nous avions également pris l'engagement de commencer à réformer l'assurance automobile. C'est fait.

Nous savions que cette période d'apprentissage serait très difficile. Nous avons préféré baliser nos engagements en les réduisant, et nous les avons réalisés systématiquement le mieux possible dès les premiers mois. Cela nous donne une première expérience, tout en nous ménageant des garde-fous. Nous ne devons pas nous disperser dans toutes les directions. Mais cela ne nous a pas empêchés de préparer, d'ores et déjà, d'autres dossiers qui nous préoccupent, notamment certains dossiers économiques et industriels.

— *La situation économique au Québec est difficile. Dans quels secteurs prévoyez-vous assurer la relance économique?*

— Nous n'avons mis que dix mois pour voir toutes les faiblesses économiques, alors que le gouvernement précédent restait surtout un gouvernement de l'image. Je veux dire que de grandes négligences se sont produites dans des secteurs essentiels, depuis plusieurs années, notamment pour de grands projets spectaculaires comme les Jeux Olympiques. Et l'on a pratiqué un appel constant aux capitaux étrangers pour qu'ils se substituent à l'initiative privée ou publique des Québécois. Définir une politique économique, c'est tout de même autre chose! Cela prend du temps. C'est laborieux, il faut faire des calculs, évaluer les risques. Nous avons réussi à amorcer, dès la première année, l'ensemble des dossiers dont nous avons besoin. Dans les limites du pouvoir provincial, nous avons présenté les têtes de chapitre de ce que pourrait être une politique économique pour le Québec, en attendant d'avoir les moyens plus complets et plus autonomes d'une politique économique nationale. Les coins les plus inquiétants, qu'on appelle nos «secteurs mous», sont les héritages du début du siècle. Ces secteurs ont été «fragilisés» par une politique fédérale d'importation complètement détraquée. Pour vendre les produits canadiens, et citons entre autres le blé de l'Ouest, on sacrifie les emplois dans le textile, le meuble, la chaussure, le vêtement. Ces secteurs de l'économie québécoise ne peuvent lutter avec les pays à bas salaires. Je n'ai rien contre les blés de l'Ouest. Tant mieux si l'on réussit à les vendre, mais qu'on ne le fasse pas à nos dépens. C'est le Québec qui subit régulièrement la perte des emplois correspondant à ce *bargaining* qui se fait sur notre dos. Nous avons l'intention d'aider à rationaliser ce qui peut demeurer rentable dans ces industries, et orienter peu à peu la main-d'oeuvre jeune qui peut être recyclée vers d'autres secteurs. Cela demande un certain délai. Il faut mener une offensive concertée sur Ottawa, pour que le fédéral ait recours à certains règlements d'urgence qui existent, mais qui ne sont jamais appliqués, de façon à assurer trois ou cinq ans de protection temporaire à nos industries. Elles auront ainsi leur chance de rationalisation et de reconversion.

Dans le contexte actuel, nous devons attendre l'intervention d'Ottawa. Ce sont les fédéraux qui tiennent les frontières. Dans le domaine du textile et du vêtement, sauf erreur, par rapport aux grands pays importateurs que sont les États-Unis, l'Angleterre, le Marché commun, le Canada s'est le plus appauvri en tolérant les importations au delà de toute rationalité économique. Les Américains, avec leur marché immense de 220 millions d'habitants, n'importent pas plus d'un cinquième de ce que le Canada tolère! Et quand j'aurai précisé que plus de la moitié

72

des emplois canadiens de ces secteurs existent depuis plus de cinquante ans au Québec, où ils se sont surtout localisés, c'est donc notre pays qui perd des emplois plus que n'importe quelle province! C'est une des carences et un des signes de l'inconsistance et de l'échec de la politique économique d'Ottawa: démission du ministre des Finances fédéral, baisse du dollar sur les marchés, déficits budgétaires sans précédent, «stagflation» qui demeure incurable... On pourrait allonger la liste...

— *À quoi attribuez-vous cette persistance du chômage, alors que les entreprises reçoivent plus d'aide que les particuliers?*

— Je ne crois pas que ce soit vrai. De toute façon, il faut tout de même admettre que le système de sécurité sociale, la sauvegarde du revenu, assurés par des mesures fédérales et provinciales, sont proches d'arriver à leur limite. Il faurait peut-être faire plus que d'augmenter sans cesse les mesures coûteuses de la sécurité sociale. Ce serait plus souhaitable d'aller dans le sens d'une meilleure sélectivité et de voir où sont les vrais besoins, et quels sont aussi les correctifs qui peuvent sauver l'incitation au travail, entre autres une formule de revenu minimum garanti. Nous finirions autrement par devenir une société d'indolence sociale, et certaines indications sont inquiétantes à ce sujet-là.

Les entreprises, évidemment, reçoivent des appuis, surtout dans une conjoncture qui est de plus en plus malaisée sur les marchés. Mais c'est une politique nécessaire pratiquée par tous les pays pour sauver des emplois. Il n'entre dans ces mesures aucun souci de sauver des actionnaires. Puisqu'ils sont là, ils en profitent, bien entendu. Mais la première chose qui nous préoccupe, quand nous sentons venir l'effondrement d'une entreprise, c'est de se demander combien de gens vont ainsi se retrouver sur le pavé. Pourtant il y a une limite à ce soutien des canards boiteux de l'économie.

Pas plus que nous ne pouvons soutenir toutes les entreprises en difficulté, nous n'accepterons de les laisser tomber indistinctement, ce qui pourrait sérieusement dégrader le tissu social, surtout dans le cas des petites villes, de communautés, de collectivités locales assez fermées. Il y a toujours des choix malaisés quand la conjoncture est difficile, et elle n'est pas particulièrement amusante en ce moment. Il est vrai que nous connaissons actuellement un taux de chômage qui est inacceptable. Si cette proportion augmentait, ou simplement se maintenait, cela deviendrait tout simplement honteux. Cela tient à la faiblesse structurelle de notre économie. Cela tient encore davantage aux politiques mal inspirées, et de plus en plus catastrophiques, du gouvernement fédéral, qui, du point de vue économique, est parmi les plus incompétents que nous ayons jamais eus. Trudeau est sans doute très bon sur certaines tribunes, mais lui et son entourage sont à peu près le contraire de ce qu'il est convenu d'appeler des bons managers économiques.

Pour faire face aux faiblesses structurelles du Québec, nous ne pouvons pas, dans le contexte actuel, agir à la place du gouvernement fédéral. Nous pouvons seulement, en plus du rôle de «pompiers» que nous tenons déjà à cause de certaines urgences, développer des programmes conjoncturels, en essayant de les rendre un peu moins saisonniers, et, dans quelques secteurs où nous détenons des leviers déterminants, bâtir des programmes qui laisseront ensuite des postes permanents. Nous y travaillons d'arrache-pied — dans l'amiante, l'acier, l'agro-alimentaire (où nous avons une autosuffisance extrêmement faible par rapport à notre potentiel). Le climat n'est pas une raison insurmontable qui doive empêcher, par exemple, l'élevage de se développer au Québec. La proportion de boeufs, de moutons que nous importons devrait se trouver largement réduite si nous produisions nous-mêmes de quoi répondre à nos besoins. Il fait froid dans l'Ouest canadien et dans l'Ouest américain — autant qu'au Québec!

Dans ce carcan imposé par le jeu des marchés que nous ne contrôlons pas, je crois que le Québec peut commencer à changer sa situation. Mais s'imaginer que nous pouvons la transformer comme nous le voudrions, tant que nous sommes dans le régime actuel et qu'on peut nous y manipuler, c'est de l'utopie.

— *Les syndicats québécois vous paraissent-ils être moins durs en raison de la persistance de la crise économique et de l'augmentation du chômage?*

— Non. Mais il y a une chose qu'il ne faut pas oublier: nous avons cet avantage inouï que nous ne devons rien aux organisations syndicales. Cet avantage, il faut le maintenir. Nous avons les mains parfaitement libres à leur égard. Nous ne leur avons rien demandé pendant les dix années de travail qui ont été nécessaires pour bâtir ce parti, le ramifier, l'enraciner et l'amener au pouvoir. Pas un *cent,* pas un dollar, ni au monde patronal, ni au monde ouvrier, à aucun de ces groupes de pression légitimes, mais trop souvent portés à l'exagération. Organiquement, nous n'avons aucun lien, ce qui fait que nous pouvons être le gouvernement de tous, sans avoir de ficelles dans le dos. À quoi s'ajoute encore ce lien très intime que nous avons avec ce qu'on appelle la «base». Très souvent, j'ai l'impression que nous sommes plus proches de cette base des travailleurs, dans notre action politique, que ceux qui, officiellement, parlent en leur nom. Cela a été très clair dans les résultats des élections de 1976. Et notre gouvernement doit maintenir un préjugé favorable à l'égard des travailleurs.

— *Ne sous-estimez-vous pas le gauchisme des forces syndicales?*

— Les mouvements syndicaux sont à l'occasion politisés, ce qui n'est pas dans la tradition nord-américaine. Ils sont parfois même «marxisés». Mais un courant plus profond, et qui fait beaucoup moins de bruit, défend une certaine stabilité. Ce refus de l'exagération est très fort au Québec, et bien plus profond qu'on ne l'imagine. Cela ne veut pas dire qu'il faut absolument s'accrocher à cette valeur et refuser le changement. Mais si nous savons nous appuyer rationnellement sur cette texture de notre société, cela nous permettra de canaliser le changement. Nous avons tâché, dès le début, d'établir les conditions d'un nouveau départ dans le climat social. «Nouveau contrat» serait décidément présomptueux! Mais nous avions besoin comme jamais de clarté et de bonne foi dans le domaine des relations du travail. Par sa législation, qui a innové assez vigoureusement mais sans tout chambarder, par son comportement surtout, l'État a essayé de donner le ton. Les résultats sont encourageants: 1977 a été bien plus serein que 1976. Mais les tests les plus durs sont encore à venir.

Si nous gardons notre équilibre, en même temps que le contact avec le courant stable et réfléchi de notre société, nous pourrons passer au travers.

— *Quels ont été les résultats du sommet de la Malbaie, que vous avez organisé quelques mois après votre arrivée au pouvoir?*

— Nous avons pris le risque que les résultats ne soient pas éclatants au départ. Nous le savions avant même de commencer. Nous avons organisé cette rencontre des grands agents économiques, appelée «sommet de la Malbaie». Et maintenant, de façon plus précise, plus sectorielle, et en même temps plus professionnelle, d'autres sont organisées. Tout cela ne fera pas de miracles du jour au lendemain. Mais cela peut amorcer certaines corrections des mentalités et des appétits délirants, et cela joue aussi bien du côté des prix et des profits que du côté des salaires. Il faut faire admettre que nous sommes responsables de la rentabilité collective. Cette rentabilité est la seule façon d'améliorer la viabilité de l'ensemble de la société. Il faut avoir un gâteau qui s'accroît, pour pouvoir mieux le partager. Il y aura toujours des divergences, des affrontements, dans toute société démocratique où les groupes et les intérêts conservent le droit de s'organiser et de négocier. Mais sans un minimum vital de solidarité sur certaines convergences évidentes, sans lesquelles tout le monde est perdant, il n'y a pas de progrès possible. Ce sont ces convergences minimales que nous recherchons, et que nous continuerons de rechercher patiemment. Car les fossés sont vieux et profonds, et l'habitude du dialogue s'était passablement perdue.

— L'une des premières lois votées sous votre gouvernement concerne la transparence du financement des partis. À croire que vous poursuivez une entreprise de moralisation plus urgente que l'émancipation économique et politique attendue par votre électorat...

— Sans vouloir faire du Québec le seul coin pur du monde, car nous nous connaissons assez bien pour éviter l'angélisme, je me permettrai de rappeler les affaires de pots-de-vin aux États-Unis, au Japon, en Italie, ou celles, un peu plus dissimulées mais subodorées, de certaines grandes entreprises publiques canadiennes à l'étranger. La moralité politique compte aussi. Les multinationales doivent suivre les lois et

78

les règlements des pays où elles s'installent. Elles doivent être sanctionnées si, à l'occasion, elles prennent une emprise exorbitante, et contribuent à alimenter une corruption trop répandue dans le monde politique et administratif occidental.

Certes, nous avons aussi nos carences, mais nous avons tout de même bâti, pendant dix ans d'action politique, avant d'arriver au gouvernement, une exigence qui est sans égale, et probablement sans précédent dans le monde occidental contemporain. Une des premières lois que nous avons «finalisées», la loi n⁰ 2, va très loin, non seulement en ce qui concerne la divulgation obligatoire des sources de revenus des partis, mais aussi dans l'exclusion de toute souscription des compagnies, des entreprises et des syndicats ouvriers. Nous voulons que l'homme électeur, l'homme contribuable, ait une responsabilité individuelle et un droit entier à faire ou à défaire les gouvernements.

Refuser de se vendre au niveau de l'État est une des conditions fondamentales à toute émancipation politique et à toute dignité économique.

— *Quels sont les secteurs où le Québec voudrait affirmer sa présence?*

— D'abord tout ce qui peut s'appeler les industries culturelles — et qui auront une importance de plus en plus grande —, comme les communications, les grands medias d'information, l'édition, etc. Il ne s'agit pas d'un «caporalisme» de l'information ou de la pensée, mais nous voulons que la propriété de ce secteur soit bien enracinée au Québec, avec des règles de jeu bien claires.

Autre exemple plus conjoncturel: l'industrie de l'acier primaire. En maintenant pour la vente de l'acier des «prix basés sur les Grands Lacs», le complexe sidérurgique américano-canadien situé justement autour des Grands Lacs crée une emprise excessive. Pour briser ce cartel et donner une chance à nos industries utilisatrices de ne pas payer de frais de transport excessifs, nous tenons à ce que notre principale entreprise sidérurgique demeure propriété québécoise collective, jusqu'au jour où nous pourrons peut-être la rendre mixte quand elle aura les reins suffisamment solides.

Nous prévoyons également de laisser le marché libre pour l'immense majorité des produits qui touchent la consommation, mais à la condition que les entreprises étrangères comprennent une participation québécoise suffisante pour que les livres nous restent ouverts, et qu'un membre du conseil remplisse éventuellement les fonctions de «directeur public». Il ne s'agirait pas d'un titre honorifique. Ce directeur serait bien entraîné à défendre l'intérêt public et à éviter que les entreprises étrangères ne puissent se conduire comme des corps étrangers dans notre société. Voilà, très, très sommairement, un aperçu de ce que nous avons choisi de faire en prévision du jour où, contrairement au Canada, qui s'est laissé aller, le Québec, sans rien bousculer ni verser dans l'extravagance, pourrait affirmer une volonté d'émancipation aussi bien économique que politique.

— Avez-vous senti, depuis votre arrivée au pouvoir, certaines réticences de la part de ces milieux financiers?

— Oui. Il y en a eu au départ. Beaucoup d'observateurs ont suivi, avec un sourire en coin, ma première sortie comme chef du gouvernement québécois, qui s'est déroulée, comme vous le savez, à New York à l'Economic Club. Je voulais dessiner très franchement et très concrètement ce que nous désirions faire, quel était l'essentiel de notre programme. J'ai confirmé notre objectif de «souveraineté-association» avec le Canada, puis j'ai précisé les paramètres essentiels de notre programme économique et social. La raison pour laquelle j'avais accepté, dès le mois de janvier 1977, de me rendre à New York, c'était le désir de dissiper ce sentiment de flottement, cette incertitude dont les milieux financiers font preuve à l'occasion de tout changement de gouvernement. Ces milieux voulaient donc faire notre connaissance. La façon la plus classique de le faire, c'était de les rencontrer. Mais à ce sentiment normal s'ajoutait, dans le cas de l'arrivée au pouvoir du parti québécois, tout un climat de malaise, en partie instinctif, en partie entretenu par une propagande émanant de nos amis anglo-canadiens. Pour tout dire, la victoire du P.Q. était présentée comme l'annonce de la sécession. Or, tout ce qui flotte autour de ce mot crée automatiquement aux États-Unis un mouvement de recul, parce que cela évoque les vieilles images de leur guerre de Sécession. Pour dissiper certaines de ces confusions, je me suis donc rendu à New York. Mon discours a eu, dans certains endroits, des retombées négatives, surtout à Toronto et au Canada anglais, où l'on n'admet aucun de nos objectifs. Mais ce que j'ai dit a contribué, je crois, à clarifier les choses aux États-Unis.

— L'importance des richesses naturelles du Québec empêchera-t-elle la limitation du taux de croissance?

— Nous ne pensons pas que le Québec pourra, dans la conjoncture mondiale qui sévit, avoir une croissance nettement plus forte que les autres pays.

Prenons notre cas: un des problèmes de la croissance est lié à l'énergie. Or, nous sommes parmi les grands consommateurs mondiaux de pétrole importé. Et, pour autant que nous puissions calculer la part du Québec dans les comptes canadiens, notre balance des paiements est plutôt catastrophique. Pensez que la consommation d'énergie des six millions d'habitants que nous sommes au Québec doublera d'ici les années 80, ce qui porterait notre seule note annuelle pétrolière à plusieurs milliards de dollars!

Cette consommation énorme tient au fait que nous sommes parmi les plus extravagants consommateurs d'énergie — à cause de l'énormité de nos distances et des nécessités de communication qui s'imposent aux six millions d'habitants répartis sur cet immense territoire. Cela implique naturellement que nos automobiles roulent beaucoup. Extravagance de notre climat aussi: ces conditions, que connaissent bien entendu tous les pays nordiques, impliquent une grande consommation de combustible. Nous commençons donc très sérieusement à penser aux économies d'énergie, par exemple en ayant recours à une meilleure isolation thermique des maisons, parce qu'elles ont toujours été bâties comme si les sources de l'énergie étaient intarissables et nos moyens de paiement indéfinis. Le fait est que les besoins spécifiques de notre économie «brûlent» 75% de notre énergie, tributaire d'un pétrole totalement importé. Actuellement, ce pétrole provient presque exclusivement du Venezuela, avec quelques compléments venus du Moyen-Orient, et quelques apports fragiles de l'ouest du Canada. Mais on prévoit que ce flot très fragile et à peine complémentaire va être renversé d'ici quelques années. Le pipe-line coulera non pas de l'Ouest vers l'Est, mais de l'Est importateur vers l'Ouest qui manquera bientôt de ressources. Il y a bien les «sables» bitumineux en Alberta, mais le coût de la prospection est tellement exorbitant que nous ne pouvons encore rien prévoir. Comment répondre à nos problèmes de croissance, face à ces évidences?

Il y a certainement toute une gamme de moyens, dont l'un est une meilleure utilisation de l'énergie, et cela implique un travail sur les mentalités. Il faut, par exemple, réserver des voies de circulation, aux heures de pointe, aux voitures qui transportent au moins trois ou quatre personnes. Cela implique aussi une politique graduelle et forcément partielle de remplacement du pétrole, ce qui pourrait se faire, pour une bonne part, par l'électricité. Nous avons en effet de grandes ressources hydrauliques, mais qui répondront seulement à l'accroissement de la

83

consommation prévue dans les années à venir jusqu'à la fin des années 80 au plus tard.

Cela nous permet tout de même de prendre du recul vis-à-vis du nucléaire, qui présente des dangers. Nous sommes encore loin de connaître toutes les incertitudes, toutes les conséquences, tout ce qui peut faire qu'on ne regrette pas dans l'avenir une décision prise trop vite. Nous préférons y aller très doucement, et nous n'avons que deux usines nucléaires: l'une est expérimentale, et une seconde est en cours de construction — plus une troisième qui n'est encore qu'un projet. Passé ce noyau initial qui nous permet de développer les compétences, de nous tenir dans la mouvance des changements scientifiques et techniques qui affectent ce secteur, nous n'avons pas du tout envie de nous plonger dans le nucléaire. Notre situation actuelle nous permet d'épargner encore les prochaines années, pendant lesquelles nous observerons — car dans le monde et ici la recherche continue —, et peut-être trouverons-nous des moyens moins inquiétants.

— *Le Québec est-il producteur d'uranium?*

— Non. Bourassa s'était un peu avancé, il y a quelques années, à Paris, en parlant sur un petit ton de potentat de l'uranium enrichi. Pour ce qui est des ressources énergétiques qui sont indispensables, et qui sont au coeur du processus de combustion, nous en avons largement; mais l'uranium, il faudrait le faire venir d'ailleurs. Encore qu'une recherche plus intensive et mieux calculée, depuis quelque temps, ait donné des indices sérieux, plus que prometteurs, de gisements possibles dans nos régions du Nord.

Alors nous cherchons, comme tout le monde. Il faut, bien sûr, faire aussi un effort du côté solaire et du côté éolien. Il faut aussi chercher du pétrole, mais notre très vieux sol, le «Bouclier», n'est pas très prometteur pour les hydrocarbures. De toute façon, il va falloir, chez nous comme ailleurs, que soit mise en place une politique de l'énergie qui imposera certaines limites à ce qu'on appelle traditionnellement la croissance.

— *La politique énergétique, dépend-elle du gouvernement provincial ou du gouvernement fédéral?*

— C'est une vaste jungle! Pour l'exportation, des juridictions fédérales existent. Si nous voulons vendre des surplus saisonniers d'électricité à l'État de New York, nous devons obtenir un permis d'exportation du fédéral.

Du côté des importations, c'est presque la même chose, sauf que les importations étant essentiellement pétrolières, elles sont le plus souvent traitées par des compagnies dont l'action et la politique échappent quelque peu à tout le monde.

Notre parti a été le premier à proposer de créer un secteur témoin qui s'inspire de certaines expériences européennes. Ce secteur public pourrait être formé par rachat ou expropriation de quelques-unes des compagnies qui fonctionnent chez nous, et par l'organisation d'une entreprise d'État, qui tiendrait environ 20% du marché, de l'importation à la vente au client, en passant par le raffinage. Cela permettrait au moins de surveiller le marché, et éventuellement d'améliorer la réglementation.

— Quelle politique allez-vous mettre en oeuvre pour les ressources primaires du Québec: la forêt, l'eau, les mines?

— Pour ce qui est des forêts, qui constituent la plus grande ressource renouvelable du Québec, nous envisageons de garder pour nous la propriété exclusive. Mais il faut faire la distinction entre la ressource «forêts» et les usines qui y ont été établies par des intérêts qui s'approvisionnent chez nous en pâtes à papier. Il serait idiot de rompre cette intégration verticale. Pourquoi irions-nous racheter des usines qui sont déjà, très souvent, quelque peu désuètes, qui ont besoin d'être modernisées, pour vendre ensuite le même papier aux mêmes «intérêts»? La ressource «forêts», elle, est promise à un bel avenir. À côté des utilisations classiques du bois, il y a de nombreuses perspectives nouvelles de développement. Cela exige la récupération de l'administration et du management de la ressource, pour briser le système de concessions à perpétuité ou presque qui était traditionnellement pratiqué au Québec.

Pour ce qui est des mines, nous devons être un peu plus nuancés. Il y a trois secteurs miniers au Québec. J'ai été assez longtemps ministre responsable des mines, pour savoir que l'amiante constitue un cas bien particulier. Nous sommes les premiers exportateurs d'amiante dans le monde. Mais il y a aussi les secteurs de transformation et d'utilisation. L'amiante n'étant pas une ressource très répandue dans le monde, nous pouvons aisément reprendre le contrôle total ou partiel de cette ressource, sans craindre de tout bouleverser. Il n'en va pas de même pour des secteurs comme les non-ferreux, l'argent, l'or, le cuivre, dont il est très difficile, aujourd'hui, d'entretenir la production, le prix du cuivre étant presque toujours en train de flotter, en raison des manipulations spéculatives sur un marché international très fragile.

Le cas du fer est encore différent. Depuis les techniques de concentration développées dans les années 50, le fer est devenu le minerai le plus commun au monde. Ce qui, avant de récentes découvertes, s'appelait de la roche peut, par la voie d'une concentration purement mécanique qui ne demande même pas de procédés compliqués, devenir aujourd'hui du fer à 70%. Le Québec, non plus qu'aucun pays, n'a d'exclusivité. Nous devons donc prendre garde de ne pas perdre les marchés que nous avons et garder des liens très étroits avec nos voisins américains, qui sont notre marché principal.

Nos ressources connues sont très abondantes. Et les nouveaux moyens de détection aérienne nous permettent d'identifier de prochains gisements à exploiter, lesquels confirment que le fer est une ressource pratiquement inépuisable pour le Québec.

— On dit que les Québécois étaient les Arabes de l'amiante...

— L'amiante n'a pas le prestige du pétrole. C'est une matière première qui est même plutôt discutée, et à juste titre, à cause de l'amiantose. Elle reste tout de même l'une des substances dont l'économie contemporaine ne peut actuellement se passer. Elle entre plus ou moins substantiellement dans la composition de centaines de produits.

L'étape que nous avons décidé de franchir, c'est la prise de contrôle d'une des grandes sociétés, afin que l'État devienne solidement copropriétaire du secteur. Cela nous donnera le levier qui permettra de «maximiser» la transformation, et partant la création d'emplois, au Québec. Autrement, tout demeurerait entre les mains de quelques multinationales étrangères. Non pas que ces grandes sociétés aient toujours ce côté monstrueux qu'on leur prête si volontiers. Bien sûr, il ne faut pas sous-estimer leur emprise, ni les dangers qu'elles peuvent représenter, surtout si l'on s'aplatit devant elles. C'est d'ailleurs pourquoi je ne comprends pas, ou je n'ose pas comprendre pourquoi, tant de gouvernements donnent cette impression de trembler littéralement devant les multinationales. Nous, dans le cas de l'amiante, nous avions à agir, et nous l'avons fait sans hésiter. Les fonds de notre caisse électorale ne sont pas secrets. Nous ne sommes compromis avec aucune multinationale.

— Sur quels secteurs allez-vous faire porter vos efforts en particulier?

88

— Le domaine manufacturier est celui qui nous inquiète le plus. Nous avons des secteurs «mous», avec ce qu'ils peuvent demander de rationalisation, de reconversion, ce qui est toujours une opération douloureuse. Les pâtes à papier restent une industrie puissante, à condition qu'elle soit modernisée très rapidement. Beaucoup d'usines ont vieilli, par une sorte de suffisance, car nous étions, avec les pays scandinaves, les plus grands fournisseurs de pâtes à papier du monde. Mais d'autres pays ont grandi. Les États-Unis ont découvert qu'ils avaient des capacités, avec la main-d'oeuvre très bon marché que constitue encore dans le Sud la population noire, le climat favorisant la pousse des arbres, et une moindre exigence sur la qualité, car ces arbres jeunes ne donnent pas la même sorte de papier que des arbres qui ont eu soixante ans de maturation... mais seulement ils se remplacent plus vite. Donc, pendant que d'autres s'activaient, régnait ici une satisfaction béate dans une industrie qui s'est laissée vieillir.

— *Pourriez-vous faire le point, ou dresser un rapide bilan, après deux années de pouvoir?*

— On peut remonter, mais très brièvement, au 15 novembre 76. J'étais dans ma circonscription qui est l'une des plus populeuses du Québec, et qui fait partie de la rive sud métropolitaine du Saint-Laurent, près de Montréal. Je venais de rentrer d'une tournée qui avait duré cinq semaines et qui m'avait mené un peu partout au Québec. J'avais l'impression, comme beaucoup, que la situation mûrissait comme elle ne l'avait jamais fait auparavant. Certains de nos sondages allaient même jusqu'à prévoir une victoire. Je dois dire que je ne les croyais pas. Pendant toute la journée du scrutin, le 15 novembre, comme le font tous les candidats, je me suis promené d'un bureau de vote à l'autre pour encourager les bénévoles qui travaillaient au dépouillement ou à la surveillance. Pendant cette journée, j'avais préparé trois petites feuilles. Sur l'une d'elles, j'avais écrit: «Défaite.» Défaite, cela signifiait pour nous: avoir des résultats très positifs auprès de l'électorat francophone, mais échouer à cause du système électoral qui ne nous est pas favorable. Cela pouvait tout de même nous confirmer encore une fois 5 ou 10 sièges sur les 110 à l'Assemblée nationale.

J'ai regardé cette feuille, et puis je l'ai mise de côté. Je me disais que nous devions cette fois-là remporter une victoire. J'ai donc pris la deuxième feuille, que j'ai intitulée: «Victoire», et que j'avais préparée pour la perspective de 30 ou 40 sièges à l'Assemblée, ce qui me semblait être le seuil maximal qu'on pouvait franchir. Je nourrissais cependant la crainte, que nous étions beaucoup à partager au sein du parti, qu'une fois de plus, comme en 1970, comme en 1973, il y aurait une sorte de recul de dernière minute, et que la propagande de nos adversaires aurait bien rempli son rôle, en annonçant la fin du monde, l'apocalypse et la terreur en cas de victoire du P.Q. La troisième feuille, je l'ai appelée: «Miracle». Cela supposait que nous prenions le pouvoir. J'avoue que je n'avais strictement rien écrit sur cette feuille. Je n'y croyais pas. Vers 20 heures, quand les résultats ont commencé à se préciser, des amis sont venus me trouver: «Tu peux sortir ta feuille

"Miracle", car c'est en train d'arriver». J'avoue que cela m'a stupéfié. Car dix ans, c'est tout de même très court pour mettre au monde, pour faire grandir et enraciner un parti politique, le parti québécois, mais aussi pour déloger une vieille machine aussi riche et enracinée que la libérale.

La joie que nous ressentions tous était immense. Mais j'éprouvais par ailleurs une certaine crainte, qui n'était pas complètement injustifiable. C'était tout à coup une responsabilité écrasante qui nous arrivait presque prématurément. Après dix ans, on a l'impression d'avoir attendu très longtemps, mais quand un parti arrive au pouvoir et devient instrument de gouvernement, dix ans, c'est tout de même très court pour être fin prêt. Je me demandais si nous étions préparés à assumer ce fardeau. Une chose certaine, c'est que je ne crois pas qu'un chef de parti obligé de choisir des ministres ait jamais eu pareil embarras devant toute cette qualité de ressources humaines.

Puis ça s'est enchaîné depuis deux ans; un travail que je diviserais en trois étapes — qui se chevauchent, évidemment. D'abord, la remise en ordre. C'est pour ça qu'il y a eu, dès le début, moins d'un mois après notre accession au pouvoir, une session d'urgence avant les fêtes, parce qu'il fallait boucher des trous. Il y avait des trous de quelque deux cents millions, en dettes olympiques de la ville de Montréal... C'était tout un problème. Certaines choses traînaient, comme c'est inévitable. Par exemple, avant le 31 décembre, il fallait refaire, reprendre la loi de la régie des loyers, parce qu'elle expirait normalement à chaque année. De plus, on devait commencer à préparer un budget supplémentaire tout de suite, pour finir l'année, jusqu'au printemps, car l'année budgétaire du gouvernement finit le 31 mars.

La remise en ordre impliquait aussi: la préparation du budget qui devait arriver au printemps 77: une remise en ordre du côté des emprunts et, autant que possible, de l'urgence chômage. Autrement dit, il a fallu gratter dans le budget le plus possible, dans cette première opération économique, afin de récupérer quelques dizaines de millions pour essayer de boucher certains des trous les plus douloureux dans l'emploi... Enfin, nous voulions au moins essayer, avec ce qu'une province a comme moyens (parce que les grands moyens économiques, on ne les a pas), et dont il fallait se servir au maximum. Il a fond fallu réduire le rythme des emprunts, établir un budget d'austérité. Il n'y avait pas d'autres façons d'en sortir, après ce qui était arrivé au temps des olympiques. On a quand même fini par sortir quatre-vingts millions tout de suite, au printemps, pour de l'emploi à court terme... ou du moins pour essayer de diminuer le problème, tout en maintenant le crédit du Québec. Celui-ci pouvait être mis en danger si on ne se serrait pas la ceinture et si on ne donnait pas un exemple de modération sur les marchés d'emprunt internationaux. Il ne faut pas oublier que le Canada était devenu, depuis deux ou trois ans, le plus gros emprunteur du monde occidental, avec vingt-trois millions d'habitants. Or, le Québec était celui qui contribuait le plus à cette hausse effarante des emprunts ou, si vous voulez, du siphon qu'on promenait sur les marchés internationaux. Il a fallu réduire ce rythme de croissance des emprunts: c'est cela que j'appelle la première période, celle de la mise en ordre. Je veux dire: une sorte de remise en ordre d'urgence. Avec la session de 77-78, puis le budget qui a suivi, la deuxième étape a commencé. Ça ne veut pas dire qu'on doit cesser de faire attention: la remise en ordre, il ne faut pas l'oublier. Mais avec la deuxième étape, nous avons pu mettre notre marque "social-démocrate". Comme on dit, dans divers secteurs — comme gouvernement, sur l'administration et la législation. Nous avons commencé à produire des choses plus spécifiquement reliées à ce qu'on avait promis, et qui était quand même d'essayer d'être un bon gouvernement; ou, comme nous nous y étions engagés, un vrai gouvernement provincial, jusqu'à nouvel ordre. Ce que je trouve le plus marquant là-dedans et qui, je crois, est relié à une façon de concevoir les progrès de la société, c'est, par exemple, de devoir remplir un engagement qui traînait au Québec de parti en parti, de gouvernement en gouvernement, depuis bien des années: celui de réglementer une fois pour toutes la vie financière des partis politiques. Sur le plan politique, c'est fondamental; parce que la démocratie exige que ce soient les citoyens qui financent les partis, plus l'État — pourvu que ça demeure modeste —, avec les fonds publics. Il est indispensable que cela soit public, hors des coulisses. Et je pense que, sur ce plan-là, nous avons été un peu les pionniers de tous les pays occidentaux; j'en suis passablement fier. Je mets toujours cette réalisation-là au premier rang; il faut souhaiter que ça entre dans les moeurs. Je pense, par exemple, aux libéraux... J'attends toujours de voir le détail des contributions à la chefferie de M. Ryan. Mais, de toute façon, le parti a accepté franchement, semble-t-il, de jouer le jeu de

93

la Loi n° 2. D'ailleurs, c'est la loi pour lui comme pour les autres, il faut qu'il évalue ses fonds et, à partir de maintenant, qu'il rende public ce qui arrive dans sa caisse... et puis les sources... Autrement, on ne pourrait jamais fonctionner d'une façon qui soit sérieusement démocratique.

Il y a aussi tout le côté social dont je voudrais parler. Quand on est sûr qu'un changement est bon sur le fond — autrement dit, qu'on s'en va dans la bonne direction —, on peut toujours s'assouplir pour les modalités. Un bon exemple de politique sociale que nous avons essayé de réaliser, c'est l'assurance- automobile. L'an dernier, on a voté la loi, presque à la veille de Noël, puis au printemps elle entrait en vigueur. Il faut se donner le temps, il faut d'abord avoir la loi, pour avoir le droit de prendre le budget nécessaire à sa mise en marche. Alors, nous nous étions donné jusqu'au 1er mars pour la mettre en vigueur, afin que les automobilistes en profitent pour l'année 78. Après les fêtes, quand j'ai fait la tournée, aussitôt qu'il y avait la période de questions dans les assemblées, on voyait immanquablement une dizaine de personnes qui s'installaient au micro; là-dessus, il y en avait au moins huit qui venaient me dire à quel point les courtiers leur avaient dit que c'était la fin du monde, que ça ne marcherait pas, qu'ils étaient inquiets, que ça serait le fouillis. On se demandait où on allait avec ça, c'était effrayant. Le 1er mars est arrivé et quelques mois après, au début de l'automne, plus ça va, plus ça se confirme: je peux aller dans n'importe quelle assemblée et il y a bien d'autres questions, bien d'autres problèmes; on ne parle plus de ça...

Maintenant, en effet, les gens peuvent comparer. Il y en a qui étaient assurés dans le vieux régime, et qui sont encore devant les tribunaux. Ils attendent depuis cinq ou six ans, et ils n'ont jamais touché un sou, tandis que maintenant, au bout d'un mois ou deux au maximum — si les rapports sont clairs sur les accidents —, ceux qui ont droit à des bénéfices commencent à les toucher. Ils pourront dans certains cas en toucher jusqu'à la fin de leurs jours. Moi, je crois que n'importe quel gros changement — il y a quand même trois millions et plus de gens qui conduisent sur nos routes — qui comporte des aspects complexes, qui implique l'application d'une technique, ça fait peur... jusqu'au jour où l'on voit les résultats. C'est un bon exemple: la souveraineté-association aussi, c'est technique sur bien des plans. Elle comporte des questions fondamentales, qui touchent la fierté normale d'une société; mais il y a aussi beaucoup de problèmes techniques, économiques, etc., qui sont impliqués là-dedans. C'est normal que beaucoup de gens soient inquiets, comme c'est arrivé dans le cas de l'assurance-automobile; mais je suis sûr (et ceux qui travaillent avec nous le sont aussi) que sur le fond on ne se trompe pas. C'est de ce côté que le Canada et le Québec doivent aller. Six mois ou un an après que ce sera décidé, on se demandera comment on a bien pu tellement taponner.

Du côté culturel, évidemment, il y a eu la Loi 101. Je crois qu'avec cette loi, on a réussi, au moins, à clarifier et à cadrer de façon plus vigoureuse ce qui avait déjà été commencé sous pression par le gouvernement Bourassa, avec la Loi 22. Et je pense que maintenant, il y a de bonnes chances que ce soit permanent. Aussi, dans cette deuxième étape où nous avons essayé de mettre notre marque dans divers secteurs, je pourrais parler de la Loi 45, par exemple, qui touche les travailleurs, et le fameux problème des briseurs de grève. Ou du consommateur qui, d'ici la fin de l'année 78, va bénéficier d'une nouvelle loi. Avec tout cela, nous essayons de réaliser ce que notre programme et nos engagements impliquaient: l'action d'un gouvernement qui a une perspective d'avenir et qui, sur le fond, y tient. Le Budget 78-79 a été dans le même sens, parce que la clé de ce budget-là, c'est son contenu social. Les gens qui gagnent un salaire moyen ont été la vache à lait de tous les gouvernements, l'un après l'autre; parce que c'est eux autres, le grand nombre. Nous sommes parvenus à leur assurer une réduction d'impôt substantielle. Par contre à l'autre extrémité, chez les hauts revenus, il a bien fallu recourber la ligne par en haut. Il y a eu une augmentation d'impôt. Je pense que c'était normal. Il fallait soulager, au plus vite, la masse de manoeuvre de la société qui arrive difficilement, qui est aux prises avec l'inflation, qui est aux prises avec les impôts aussi; il s'agissait d'arriver à lui donner un soulagement, qui quand même a été, je crois assez substantiel. Si vous ajoutez à cela ce qu'on a fait pour les personnes âgées... Les médicaments gratuits, c'est important pour eux: souvent, à la fin du mois, c'est une espèce de dilemme assez invraisemblable entre le panier de provisions et les médicaments.

Un autre aspect important de notre deuxième étape, c'est évidemment son contenu économique, parce qu'on vit dans un monde où cela a toujours été vrai, où cela va devenir aussi de plus en plus complexe:

qu'on le veuille ou non, jusqu'à la fin de nos jours, les problèmes économiques, la situation économique, vont être une sorte d'urgence permanente de plus en plus difficile. Le Québec est une économie ouverte: on importe beaucoup, on exporte beaucoup; il faut que les deux se maintiennent en équilibre le mieux possible. Notre balance des paiements, évidemment, à cause du pétrole surtout, est une balance déficitaire. C'est là un point qu'il faudrait corriger. Tout ce qui est économique est une préoccupation centrale, et il faut que ce le soit. Toutes les politiques sociales, culturelles, etc. qu'on peut vouloir mettre en marche, il faut tout de même que le gâteau économique permette de les réaliser. De ce point de vue-là, nous avons eu le problème d'essayer de combiner l'urgence avec, si vous voulez, un certain minimum de perspectives pour le moyen terme. L'urgence ç'a été deux choses: quelques dizaines de millions au plus vite pour essayer de stimuler l'emploi; puis, maintenant, ce qu'on appelle OSE (opération de solidarité économique) qui, elle, a demandé beaucoup plus de préparation, qui va durer jusqu'au printemps 79 et peut-être plus longtemps. Cela a donné un coup de main dans pas mal de secteurs qu'on avait identifiés; cela a créé ou maintenu, je pense, autour de treize à quatorze mille emplois. En même temps, il fallait travailler sur le moyen terme. Par exemple, sur la politique de l'amiante. Ça faisait dix ans qu'on en parlait: il fallait tout de même en sortir une. Même chose dans le secteur des pâtes et papiers où, depuis longtemps, beaucoup d'usines se dégradaient; on sait qu'il y a eu des fermetures. Il fallait essayer de définir avec les entreprises, avec les employés, puis avec le gouvernement forcément, une perspective de

97

reprise, de relance. Même chose aussi dans ce qu'on a appelé les secteurs mous, c'est-à-dire les secteurs traditionnels, comme le textile, le vêtement, la chaussure, le meuble; et ça s'est greffé à la décision qu'on a prise sur la taxe de vente quand est venue cette espèce d'initiative unilatérale d'Ottawa. Eux autres, ils voulaient couper de trois pour cent partout: nous avons dit non. S'il faut couper, nous allons l'ajuster nous-mêmes. Il y a d'abord les besoins sociaux des familles, du meuble, de la chaussure et du vêtement; ça, c'est quasiment tous les jours qu'on en a besoin, à chaque saison... Vous savez la chicane qui a suivi... Mais quand même, voir tomber la taxe de huit pour cent à zéro pendant un an, et non pas à 5% pendant six mois, je pense que ça a donné un souffle absolument vital à tout un secteur de notre économie; je pense que cette mesure a aidé les gens aussi. De plus, je soulignerai simplement, dans tout l'ensemble économique, l'importance de l'agriculture, ou plutôt de l'agro-alimentaire — l'agriculture qui est la production, l'alimentation qui est transformation, distribution, marché, consommation. C'est là un secteur vital, parce que l'agriculture, qu'on le veuille ou non, elle va prendre de plus en plus d'importance d'ici l'an 2 000. Une société qui ne nourrit pas convenablement son monde, elle se déshonore. Nous avons placé cet ensemble agro-alimentaire vraiment au coeur de nos préoccupations; et ça nous mène très bientôt à quelque chose qui va être dur. Cela revient à ce que je disais pour l'assurance-automobile: nous sommes sûrs, maintenant, que le fonds est bon — c'est le cas de le dire, parce qu'il s'agit du fonds de terre, de la protection des terres agricoles, le zonage comme on dit.

Ça va se faire avant la fin de l'année. Il va probablement y avoir des hurlements, dans certains coins, surtout par ceux qui se voient retirer la couverte de la spéculation, ou de la construction à la va-comme-je-te-pousse. Il faut que la construction se fasse ailleurs que sur nos meilleures terres. Il s'agit non seulement d'aider l'agriculture d'aujourd'hui et tout l'ensemble agro-alimentaire, mais aussi de protéger le patrimoine parce que plus ça va, plus on va en avoir besoin.

Finalement, bien sûr, la troisième étape; elle est commencée. Ça ne veut pas dire que les deux autres ne continuent pas, mais la troisième aussi est enfin commencée. On avait mis une sorte de moratoire relatif sur toute l'action en vue du référendum et de la souveraineté-association — sauf qu'on a passé la loi des référendums. On n'avait pas fait, disons, beaucoup d'évangélisation nouvelle; mais on n'avait pas oublié l'objectif. Seulement, il fallait, pendant un an et demi à peu près, le mettre en veilleuse, parce qu'on n'aurait pas eu l'air vraiment responsable si on s'était promené comme des queues de veau dans le paysage en continuant à prêcher l'avenir essentiel — mais quand même l'avenir — pendant qu'on aurait eu l'air de négliger le présent et les priorités à régler. Depuis cet été, surtout le début de l'automne 78, on a, je pense, arrimé de nouveau nos idées là-dessus. On a commencé l'organisation qu'on appelle pré-référendaire; c'est-à-dire la mobilisation de nos effectifs qu'on va essayer de développer le plus systématiquement possible. Parce qu'on a un damné problème vis-à-vis du référendum. On a promis — et il faut tenir cette promesse-là — que le référendum aura lieu en dehors de la période électorale, avant les prochaines élections générales; ce qui veut dire que, quand le référendum va arriver à sa période de campagne officielle, on va être obligé d'être à la fois gouvernement et prédicateurs de notre idée. C'est pour ça qu'on compte tellement sur les militants du parti. De notre côté, on va faire notre part, quitte à réorganiser nos journées et à empiéter au maximum sur nos heures de loisirs; en général, quand on part pour une grande campagne générale comme les élections, on laisse le sous-ministre en place et on s'en va dans le paysage. Le gouvernement disparaît pendant un mois ou cinq semaines, sauf pour une ou deux réunions du Conseil des ministres ou pour des urgences, et il fait la campagne électorale. Tandis que là, on ne pourra pas. Il va falloir qu'on continue pendant des semaines, et même les deux ou trois mois que ça va durer officiellement, à faire notre travail et à faire la campagne avec les autres. Ça, c'est un problème qui n'est pas réglé.

Troisième Partie

LA SOUVERAINETÉ - ASSOCIATION

— *Après deux ans de pouvoir, au bout de dix années de souveraineté-association, est-ce qu'il s'est produit une évolution dans la philosophie politique et sociale que vous véhiculez?*

— Sans prétendre une sorte de psychanalyse de notre évolution interne et de ce qui a paru à l'extérieur, je dirais que c'est comme si on avait bouclé la boucle. Moi, je sais bien que quand je suis arrivé avec l'idée de souveraineté-association au congrès libéral, il y a onze ans, ils ont refusé d'accepter même de discuter l'idée. Alors, on est partis, quelques-uns d'entre nous, en 1967. Et c'est là que s'est enchaîné ce qu'on a appelé le MSA, le Mouvement Souveraineté-Association. Finalement, le parti a été baptisé parti québécois, il y a dix ans cette année. Moi, j'y ai toujours cru fondamentalement à notre option, et je crois que le seul avenir, c'est ça. Je lisais, par exemple, le dernier livre d'un des plus grands économistes européens, François Perroux, qui est rendu à l'âge — vers soixante-dix ans — où l'on fait sa somme. Son livre traite de deux notions complémentaires de plus en plus inévitables dans le monde, c'est-à-dire l'indépendance de la nation, comme il dit, et l'inter-dépendance des nations. On n'en sortira pas. L'évolution s'est faite curieuse-

ment. Vous savez que, quelque temps après la fondation du parti, le RIN, où il y avait Bourgault, d'Allemagne et d'autres, s'est disloqué, officiellement. Ils
ont conseillé à leurs membres de se joindre au parti
québécois pour éviter de diviser les forces. Seulement,
ils sont arrivés, beaucoup d'entre eux, comme des
pionniers qui avaient déjà mis, avec un désintéresse-
ment total, quelques années de leur vie pour l'idée,
pour la cause, si vous voulez. Ils sont arrivés avec une
sorte d'acceptation, qui n'était pas toujours complète,
de ce qu'on proposait. En fait, ils ont toujours eu (et
je comprends ça, quand on est obligé d'être des pionniers et de défoncer les fenêtres, de faire du bruit dans
la rue parce que personne n'écoutait au début), ils ont
toujours eu une sorte d'idée «pure et dure» de l'indépendance au fond d'eux-mêmes. Et ça s'est fait sentir
dans beaucoup de nos congrès: des efforts pour voir
s'il n'y aurait pas moyen de rapprocher le plus possible
la souveraineté ou l'indépendance d'un absolu et de
diluer ou d'éliminer, ou de diminuer l'idée d'association. Alors, il y a eu des flottements, des hauts et des
bas, jusqu'au moment, par exemple, en 1975, où il y a
eu un congrès où le gros de la pression s'est exercé
autour de l'idée de référendum. Pour des gens qui se
disent: «Moi, ça fait vingt ans de ma vie que je pense
à ça, que je travaille à ça», c'est vraiment dur d'accepter même l'idée d'une étape comme un référendum.
Pourtant, ça a passé. Je pense que c'était indispensable. Aujourd'hui, après quelques mois de remise en
place, et après nous être mis d'accord entre nous, au
niveau du Conseil des ministres, au niveau du caucus
des députés de l'Assemblée, et au niveau du conseil
exécutif du parti, je pense qu'il était fondé d'arriver

avec la déclaration que j'ai faite à l'Assemblée nationale. Quant à nous, cette déclaration-là marquait le point où on est rendu. Ce qui veut dire en fait qu'on a bouclé la boucle, d'une certaine façon; qu'on est revenu, pour l'essentiel, à ce qui était là au début. Et je pense qu'il n'y a pas d'autre chose dans l'avenir qui puisse être une perspective valable: l'association définie sur deux ou trois choses essentielles, et tout le reste qui est la souveraineté. Ce qu'on garde en commun, c'est une continuité, économique surtout, et politique également, avec le Canada. C'est une continuité politique au moins dans le sens suivant: si on brise toute relation, si on est comme un corps, non seulement différent mais hostile, entre l'Ontario et les Maritimes, il est évident qu'on se créerait un véritable ghetto, avec l'hostilité qu'on susciterait autour de nous. Donc, il faut laisser en commun une zone de continuité. L'interdépendance du monde nous dit que c'est également le bon sens pour tous les voisins que de laisser ainsi des choses en commun. On en a identifié trois, essentiellement: les marchés, c'était déjà là il y a dix ans; le monétaire, l'hypothèse était déjà là il y a dix ans; et puis — c'est plutôt une dimension continentale, ça — de prendre notre place normale dans les alliances comme l'OTAN ou comme NORAD, c'est-à-dire la sécurité continentale et atlantique, celle du monde auquel on appartient. Tout ça, je crois est maintenant accepté dans l'ensemble. C'est du moins ce qui découlait de nos rencontres de cet été et du début de l'automne. Ce qui crée encore un certain remous, c'est le fait que j'aie pris sur moi — et il fallait le faire — de préciser qu'il s'agissait d'un référendum qui porterait sur les deux: souveraineté et association. Par définition,

103

ça implique une négociation. Puisqu'on parle de garder des choses en commun et de trier le reste, eh bien, forcément, des gens civilisés vont négocier. Donc, le mandat qu'on va avoir au référendum va en être un de négociation. Il y a des gens qui disent que c'est trop faible. Moi, tout ce que je réponds, et je vais me tuer à le répéter, c'est que ce n'est pas trop faible; c'est extraordinaire si le Québec répond: «oui, on veut!»

Parce que ça veut dire une volonté: la souveraineté telle que définie avec, en plus, l'association telle que définie. J'ai l'impression qu'on n'aura pas besoin de deux référendums. Le reste du Canada va l'entendre, quel que soit le gouvernement à Ottawa. Il y en a qui font preuve d'une certaine réticence devant l'idée d'association... Ils n'ont pas tout à fait suivi l'évolution du monde d'aujourd'hui... ni celle du contexte politique... Ils ont gardé une idée trop absolue. Ça c'est leur droit; mais enfin, on n'est pas obligé de les suivre dans un casse-gueule. Pour le reste des réticences, ce n'est rien qu'un complexe, peut-être parce qu'on n'est jamais passés par là; c'est un peu un complexe de colonisé, qui nous fait douter de l'importance d'un oui massif dans le Québec. En Europe, aux États-Unis, partout, ils n'iront pas regarder dans la plomberie, mais ils vont dire, depuis le temps qu'on parle du Québec: «Tiens, les Québécois ont dit oui. Ils ont dit oui à quoi? À la souveraineté et association.» C'est ça que ça veut dire. Et ça possède un poids extraordinaire. Je pense que d'être revenu aux sources et d'avoir réussi à définir l'essentiel, ça nous place aussi bien qu'on peut l'être humainement par rapport au référendum et à la suite. Je ne suis pas prophète pour la suite, mais

104

sur le fond, moi, je suis sûr qu'on est dans la bonne direction. Cette certitude-là est partagée par tous ceux qu'on a consultés, il y a quelques semaines et quelques mois. De notre côté, en tout cas, pour l'essentiel, c'est clair.

— *Vous avez sûrement lu les critiques qu'on a pu faire sur ce point. Marcel Adam, par exemple, lui, il trouve votre stratégie très habile; mais pour Bourgault, ça semble être un recul. De quel côté les partisans vont-ils se ranger?*

— Bien sûr il y a un certain remous. Vous faites une déclaration qui est quand même assez complexe, puis vous êtes appelés à en expliquer les effets, comme c'est arrivé dans ce cas-ci à une conférence de presse. Dans les journaux le lendemain, les titres correspondent plus ou moins à ce qui s'est dit parce qu'il y en avait pour une heure et demie. C'est normal, c'est comme quand une loi nouvelle un peu compliquée est déposée. Pendant un bon bout de temps, il y a des gens qui se disent: «Attends un peu, à quoi ça mène ça?» Mais ils n'ont pas lu le texte. Ils lisent des titres; ils entendent quelqu'un, que ce soit M. Bourgault ou d'autres, rouspéter dans certains coins. C'est normal, ça les inquiète. Ceux qui suivent de plus près et qui se donnent la peine de fouiller, c'est autre chose... Des gars, par exemple, qui possèdent une conscience sociale et nationale remarquable, comme Pierre Vadeboncoeur. Il a pris quelques jours, et il a écrit dans Le *Devoir* quelque chose qui est carré, qui est réfléchi et qui dit: s'il y a une autre stratégie possible, qui ne serait pas un casse-gueule automatique, qu'on nous l'indique. Il faut le temps de décanter les choses. M. Bourgault, je le comprends, c'est un de ceux que je mentionnais tout à l'heure. Parmi ces gens-là, plusieurs étaient encore reliés à cette idée de souveraineté absolue; quant à l'association, ils se demandaient un peu qu'est-ce que ça mangeait en hiver. Alors je pense bien qu'ils n'ont pas été tellement portés à en étudier les implications, enfin pas toujours... et ça explique que, chaque fois qu'on dit que ça va peut-être prendre quelques années, ils ont l'impression que c'est un recul... Moi, je dis que si on ne fait pas ça comme ça, ce n'est pas quelques années que ça va prendre; on risque tout simplement de se casser la figure et de proposer quelque chose d'irréalisable. À ce moment-là, ils s'en chercheront, un autre mouvement, si par bêtise, par mauvais calculs, on le démoralise pour des années et des années, peut-être une génération. On n'a pas le droit de manquer notre coup exprès. Ils disent électoralisme, électoralisme!... Ça peut flotter très naturellement dans n'importe quel esprit de député, de ministre, surtout ceux qui sont jeunes, de se sentir capables de fournir encore longtemps leur coup de collier... Une chose est certaine, c'est que jamais ce n'est intervenu dans nos discussions que de délayer le référendum pourrait nous faciliter la prochaine élection. Non, on n'y pense même pas, à la prochaine élection... du moins officiellement... Il y en a qui peuvent bien y penser secrètement mais moi je n'y pense pas. Ça fait dix-huit ans maintenant que je suis dans ce métier-là; comme je n'ai pas d'ambition fédérale, je ne pourrai jamais aller plus loin dans la vie politique! Et moi, je me dis que mon travail, essentiellement — et je sais qu'il y en a plusieurs dans notre groupe qui pensent comme ça aussi — c'est d'être bien sûr de faire le maximum pour arriver au résultat... Je voudrais bien voir ça de mon vivant. Et, pour arriver au résultat, il faut éviter les bêtises : c'est aussi simple que ça.

— *Quel type de cheminement allez-vous proposer au parti?*

— On n'a pas à proposer de cheminement spécial au parti. Le parti a cette habitude, quand même, d'être un parti démocratique. Il est très jaloux de ses préro-gatives internes, qui vont lui permettre d'étudier tout ça en décembre. Au début de décembre, il va y avoir ce qu'on appelle un conseil national, comme c'est le cas trois ou quatre fois par année. Après cette rencon-tre de décembre, les gens vont se réunir dans chaque région pour préparer le congrès qui, lui, doit se tenir au mois de mai de l'année prochaine. Ce cheminement-là est prévu dans les règlements du parti. Ça va leur permettre d'éplucher, d'évaluer et d'examiner tout ça. Ensuite ils décideront au congrès; ils décideront de l'attitude qu'ils doivent prendre. Moi, j'ai con-fiance dans la maturité du parti. L'immense majorité des militants est sérieuse, et c'est pourquoi je crois qu'à travers ce cheminement, la clarté va devenir de plus en plus évidente.

— *Le congrès, c'est une forme de mise à jour du programme?*

— Oui, chaque fois. Maintenant, c'est à tous les deux ans. Avant, c'était chaque année, peut-être parce qu'il fallait suivre notre affaire de plus près. Mais

107

depuis 75, c'est à tous les deux ans. Notre congrès de 79 va être déterminant, parce que ça va être le congrès d'avant le référendum.

— Quand vous désignez la nouvelle formule politique qui permettrait au Québec de se sentir plus libre, vous répugnez à employer le mot «indépendance», encore plus le terme «séparatisme». Vous parlez plus volontiers de «souveraineté-association». C'est à croire que vous revenez au slogan du mouvement que vous avez créé, sous ce nom, en 1967. S'agit-il d'une reculade de votre part, ou bien d'un effet de tactique?

— Pas du tout. Je m'en tiens le plus souvent à ces deux termes qui, depuis 1968, sont les clés maîtresses de notre action: souveraineté et association. Je n'en sors, à l'occasion, que pour illustrer les choses par des analogies, mais sans varier sur le fond. Quant au mot de «séparatisme», qui fait allusion à une rupture brutale, il est beaucoup trop négatif pour ce que nous proposons. Depuis le début de notre combat, nous avons sans cesse répété que la géographie et toute une série d'intérêts évidents font qu'une association avec le Canada devrait venir en parallèle avec l'indépendance du Québec. Ce serait un crime, que de gommer d'un seul coup deux siècles de coexistence commune. Voudrait-on le faire qu'on n'y parviendrait sans doute pas. Le Canada est un «marché commun» aussi avantageux, sinon plus, pour l'Ontario que pour le Québec.

108

— Aujourd'hui, faut-il vous faire porter l'étiquette d'indépendantiste ou de souverainiste?

— Souveraineté, indépendance? Disons-le nettement, les différences sont des nuances. «Indépendance» est plus politique. Le terme recouvre bien la partie centrale de notre option, la souveraineté politique. Dans la pratique, les deux concepts se rejoignent. Pour avoir couramment employé les deux mots, ma préférence va aujourd'hui nettement à «souveraineté». Chacun son goût. Mais à ce *self-government,* comme disent nos amis anglais, il faut ajouter l'idée d'une association.

— Ce serait donc une association de type économique?

— Au delà de l'association économique de départ, fondée sur une union douanière, bien d'autres perspectives sont possibles: une communauté maritime pour gérer la navigation sur le Saint-Laurent qui débouche sur les Grands Lacs, et une interdépendance dans le domaine monétaire. Ce qui nous éviterait tous les embarras de l'Europe des Neuf. Toute une série de zones de convergence sont possibles, certaines plus étroites, d'autres plus larges. Cela peut aller jusqu'à l'élimination de la citoyenneté exclusive et la création de passeports conjoints. Des arrangements sont possibles pour la défense, y compris pour notre appartenance à l'O.T.A.N. Bien sûr, obtenir un siège à l'O.N.U. va de soi. Nous tenons à avoir notre libre arbitre pour y défendre notre dimension nationale. Mais le Québec n'a pas de raison

109

de cesser d'appartenir au Commonwealth s'il réussit à se différencier de la politique traditionnelle d'Ottawa et des attaches traditionnelles du Canada.

Autre exemple: plutôt que de lancer le Québec dans le développement de lignes aériennes internationales ruineuses, pourquoi ne pas suivre l'exemple des Scandinaves, et pratiquer sur ces liaisons une politique commune? Tout cela peut faire partie du bagage de l'avenir qui se construira conjointement, à condition que le point de départ soit bon. Tout cela devra se négocier. Sans hargne. Le moment venu.

— *M. Trudeau a pourtant déclaré un jour: «Illusion, le Québec ne veut rien. Il ne manque pas de pouvoirs, mais de savoir-faire.» Ne croyez-vous pas que vos projets économiques pourraient être compatibles avec le cadre fédéral actuel?*

— Oh! je pourrais vous citer Talleyrand, qui, au moment de la Révolution française, séjourna pendant deux ans en Amérique. Il déclara que rester le maître chez soi était la chose la plus importante qui fût pour un pays. Ce que disent Trudeau et tous les autres ne pourra rien y changer. L'exercice de l'autodétermination est absolument nécessaire à la maturité d'une société qui possède sa propre identité. L'interdépendance, cela existe. Je ne veux pas dire qu'une société doive assumer ses responsabilités comme dans un ghetto, en se coupant des autres. Mais si une société qui a conscience de son identité, et qui se sent vraiment être une collectivité, donc différente des autres, ne passe pas au moins une certaine partie de son histoire avec ces attributs de la souveraineté, elle demeurera toujours une société viciée. Elle subira une forme de dépendance par rapport au colonialisme qui l'a créée, et qui l'empêche justement d'atteindre cette maturité. Le Québec doit briser ce cercle vicieux.

Les Québécois ont compris que l'option fédérale canadienne les conduirait un jour ou l'autre à se soumettre à la centralisation. Même si une administration québécoise est forte et efficace, la responsabilité de l'orientation du Québec reviendra à Ottawa, qui, en raffinant ses méthodes d'intervention, parlera de plus en plus au nom d'un intérêt «national» et conduira toutes les grandes actions. Il est dans la logique du cadre fédéral qu'Ottawa s'oppose aux tentations québécoises d'autonomie et ampute sans cesse le Québec des bénéfices tirés d'une longue série de conflits et de coups de force.

La tentative du parti québécois, qui, je crois, sera victorieuse, s'inscrit dans une suite d'essais tentés par tous les gouvernements québécois. Mais aucun n'est allé jusqu'au terme logique du choix. Dans le cadre fédéral actuel, la souveraineté québécoise est un facteur de contradictions, une greffe rejetée par le corps politique canadien. L'indépendance que nous envisageons, et qui ne sera ni une autarcie, ni un repliement sur soi-même, ni un bouleversement des valeurs nord-américaines, est la seule voie possible, parce que, comme je le disais en m'adressant aux hommes d'affaires américains dès janvier 1977, «le Canada et le Québec ne peuvent pas continuer à vivre comme deux scorpions dans une même bouteille» pour reprendre une image de Churchill.

111

— Pourtant, le Québec dispose de certains attributs d'un État-nation. Il possède un drapeau, une Assemblée nationale; il est reconnu dans certaines instances intergouvernementales; il dispose d'un statut quasiment diplomatique, notamment avec la délégation générale du Québec en France; il légifère comme il l'entend dans certains domaines: la langue, l'éducation. Il jouit donc d'une marge de décision et d'une autonomie d'action. Reprenons la question rebattue à Ottawa depuis la fin de la Seconde Guerre mondiale: «What does Quebec want?»

— Que les deux peuples fondateurs — les Canadiens français et les Canadiens anglais — puissent se parler d'égal à égal, et non plus dans une relation majorité-minorité qui a toujours empoisonné notre vie politique. Nous vivons sur un système inspiré du modèle américain mais imposé par la Grande-Bretagne, vers le milieu du XIXe siècle, aux quatre colonies qui se partageaient alors le territoire canadien: deux provinces maritimes, l'Ontario et le Québec. Puis, avec le développement vers l'ouest, cinq autres provinces ont été agglomérées. Seule, Terre-Neuve, après la Seconde Guerre mondiale, a été consultée sur son entrée dans la Fédération.

Mais le système est resté faussé: le nombre des provinces — quatre ou dix — ne change rien au fait que deux peuples sont à l'origine du Canada. Les résistances du bloc francophone, qui se sont fait sentir dès le XIXe siècle, ont réussi à freiner l'évolution vers un fédéralisme unitaire et centralisateur. Mais quand les francophones ont perdu de leur importance numérique, et que les dirigeants d'Ottawa ont

112

voulu gouverner le Canada comme une seule nation, ce fédéralisme est devenu finalement très centralisé. Et depuis près d'un demi-siècle, la tension entre les deux blocs s'accentue. Le système fédéral concourt à maintenir le Québec dans une économie sous-développée et à l'écarter des décisions concernant son propre avenir. C'est un cadeau dont il faut se défaire.

Tous les gouvernements québécois, depuis le début du XXᵉ siècle, se sont essayés à la guérilla intergouvernementale. Mais cela entraîne chaque fois une contre-offensive fédérale, ce qui donne à notre histoire cette allure de hauts et de bas. À l'heure actuelle, avec la prise de conscience québécoise, il n'est pas possible, par prudence et modération, de s'en tenir à des voies moyennes, comme les formules: «Un État, deux nations», «Le fédéralisme coopératif ou décentralisé», «L'égalité ou l'indépendance», «L'indépendance culturelle dans un fédéralisme économique», etc. Ce ne sont que slogans électoralistes, qui masquent la réalité d'un pouvoir fédéral qui continue à fonctionner et à s'étendre. Il est temps de choisir entre l'option canadienne et l'option québécoise.

— *L'association économique entre le Canada et un Québec souverain a été catégoriquement rejetée par vos collègues les Premiers ministres provinciaux. N'aurez-vous pas tendance, alors, à chercher une association avec les États-Unis?*

— Pour commencer, je dis non, deux fois plutôt qu'une! Non à l'annexion du Québec par les États-

Unis! Nous n'allons pas sortir d'un «tout» relativement restreint comme le Canada pour tomber dans un autre «tout», dévorant celui-là, comme les États-Unis. Les États-Unis, autant que je sache, n'auraient aucun intérêt à s'annexer nos problèmes. Je ne constate pas que les États-Unis font preuve d'impérialisme territorial. Je ne vois pas non plus nulle part, sauf peut-être dans certains esprits un peu théoriques, d'idées d'annexionnisme. Ce qui ne signifie évidemment pas que nous n'aurions pas tout intérêt à développer avec nos voisins américains ces échanges et tous ces courants nord-sud qui sont très souvent les plus logiques. Si l'association économique avec le Canada devait traîner (mais je crois qu'elle ne traînerait pas), il faudrait attendre que cet accès de mauvaise humeur passe.

Si l'on regarde simplement les échanges internes, on remarque que l'Ontario, en raison d'une structure industrielle plus développée que la nôtre, mais aussi plus dépendante de capitaux, est encore plus exposé aux aléas de la conjoncture. Plus les investissements sont importants, plus ils doivent être rentabilisés... Or, le Québec, lui, a plutôt axé son développement, qu'il n'a pas tellement contrôlé, sur les industries de consommation. Les biens durables, comme l'équipement électroménager, l'automobile, viennent essentiellement de l'Ontario, où sont surtout installées les filiales des grands groupes américains. Des relations commerciales très intimes existent entre l'Ontario et le Québec. Montréal est la banlieue de Toronto au point de vue financier, au point de vue économique, mais à d'autres points de

114

vue, c'est Toronto qui devient la banlieue de Montréal. Ce sont deux villes interreliées, et elles résument un peu la situation du Québec et de l'Ontario, avec leurs tensions constantes, mais aussi ces liens réciproques. Dans la négation de cet intérêt conjoint, c'est l'Ontario qui souffrirait le plus: quand il nous vend environ deux dollars de biens durables et coûteux, nous lui en vendons seulement un dollar... Mais, la production vendue par le Québec est de celles dont on se passe le moins facilement. Ce qui lui permettrait certainement de mieux tenir le coup, à supposer qu'une hargne tenace empêche la conclusion de ces accords. Mais pendant cette période intermédiaire, l'Ontario sentirait très rapidement l'écroulement de son marché si nous leur ôtions notre clientèle.

— *Jusqu'où irez-vous pour conserver au Québec sa souveraineté et éviter sa satellisation par les États-Unis?*

— La tradition démocratique est profondément enracinée aux États-Unis. Les excès de la guerre au Viêt-nam, le Watergate, la C.I.A. sont allés si loin qu'ils ont donné aux États-Unis le recul nécessaire face à leur rôle de «gendarme du monde». Sans vouloir faire du futurisme avec des lunettes roses, il semble que les États-Unis abandonnent une politique trop raide, parfois dangereuse. Ils s'acheminent aujourd'hui vers une politique de consensus, surtout avec les pays qu'ils connaissent bien. Quand on voit les résultats de l'affaire du Watergate, on peut se demander si de nombreux pays dans le monde auraient réussi à débrider eux-mêmes une plaie intérieure avec autant de sévérité et même de dureté! Les États-Unis ont puisé ce courage au coeur même de la tradition démocratique si profonde et si sincère qui ne leur a jamais manqué.

À condition que la volonté du peuple québécois soit très claire, je ne vois absolument rien qui puisse exclure (avec les ajustements nécessaires pour s'insérer avec de nouvelles institutions dans la vie du continent) que le Québec surnage, et surnage de façon extrêmement féconde... Prenons par exemple le cas de la voie maritime du Saint-Laurent: on a balisé cette voie maritime, on l'a creusée pendant les années de la «guerre froide», pour ménager une entrée dans le coeur du continent qui soit protégée. C'est une entrée continentale elle-même, puisque l'embouchure du Saint-Laurent donne sur la mer, et qu'on peut remonter ainsi jusqu'aux Grands Lacs. Cela a été balisé à travers le Québec, puisque le Saint-Laurent coule au Québec. Donc, c'est actuellement, dans le contexte où nous vivons, une copropriété. Les deux propriétaires siègent ensemble quand il s'agit de discuter de ce grand complexe hydrographique constitué par le bassin des Grands Lacs et le déversoir du Saint-Laurent. Le Québec devenant indépendant, qui peut exclure qu'il devienne le troisième propriétaire de cette copropriété? Qui pourrait empêcher que le Québec régisse lui aussi, avec les deux autres partenaires, ce vaste ensemble hydrographique? Qui peut empêcher que le Québec, pourvu qu'il poursuive lui aussi cette tradition démocratique comme le Canada et les États-Unis, puisse s'insérer à son tour dans ce grand contexte démocratique qui est demeuré le plus solide au monde?

— *Et si les États-Unis choisissaient le Canada de préférence au Québec?*

— Les États-Unis, comme toutes les grandes puissances, ont toutes les tentations. Ils y ont d'ailleurs cédé très souvent. Mais à la suite des grands traumatismes du Viêt-nam, des révélations sur le Chili, des révélations sur les «pots-de-vin» dans d'autres pays, les États-Unis sont en train de reprendre conscience. Le président Carter le prouve dans ses appels en faveur des droits de l'homme. Peu importe que ce soit prématuré et un peu présomptueux. Tout cela reflète, depuis quelques années, une espèce d'épuration interne de la mentalité américaine, qui semble essayer de revenir progressivement, laborieusement, à ses sources, et redevenir le flambeau de la démocratie. Les États-Unis y arriveront-ils vraiment?

Chose certaine, l'attitude américaine se bonifie actuellement par rapport à ce qu'elle était il y a vingt ans. Nous pouvons donc nous appuyer sur cette tendance pour croire que les États-Unis respecteront notre décision d'indépendance — ce qui ne veut pas dire qu'ils l'accepteraient en nous faisant un petit triomphe dans Wall Street. Surtout si le Québec ne donne pas des preuves concrètes de sa volonté de s'insérer convenablement dans la dynamique nord-américaine et occidentale. Un exemple: depuis les élections de 1976, j'ai rencontré à maintes reprises des Américains du milieu de l'information, qui soudain devenaient curieux — ce qui ne veut pas dire qu'ils n'étaient pas au courant. Dans les milieux bien informés, on savait très bien que le Québec évoluait. Mais, confrontés tout à coup à l'événement, beaucoup s'étonnaient que ce fût arrivé si vite. Parmi les questions les plus insistantes, je dirais même les plus insidieuses d'ailleurs, il en est une qui revenait: en supposant que le Québec devienne un jour un État souverain, quelle serait notre attitude face au NORAD, c'est-à-dire à l'entente de défense aérienne du continent nord-américain. Plus insidieuse encore, la question de notre attitude face à l'O.T.A.N. Comme il arrive souvent à un nouveau parti (le nôtre n'a que dix ans d'existence) qui se veut progressiste et qui essaie de définir une certaine rupture avec le passé, le P.Q. est allé le plus loin possible. Vers les années 1969-1970, lors d'un congrès, nous avions demandé, sans trop nous expliquer, le retrait de l'O.T.A.N. Cette résolution a été inscrite dans notre programme au moment de cette espèce d'immaturité que traverse inévitablement un jeune parti, et qui plus est, parti de changement. Mais un parti politique, comme une société, comme un homme, jusqu'à un certain point, mûrit... et nous avons bien compris, lors d'un récent congrès qui s'est déroulé au mois de mai 1977, simplement parce que le seuil de la prise du pouvoir était franchi, qu'il fallait réajuster cette position, et rester ouverts face à notre attitude vis-à-vis de l'O.T.A.N. et du NORAD. Les mêmes délégués qui, il y a quelques années, se sentaient «ultra-progressistes» ont voté très sereinement cette remise en question.

118

— Prévoyez-vous une défense nationale?

— Un des scandales permanents de notre civilisation, c'est que l'on ne trouve pas les quelques milliards nécessaires pour enrayer la faim; mais on en trouve par centaines pour le marché des armements. Heureusement, le Québec est petit. 15% des forces armées canadiennes sont formées de Québécois. La plupart sont regroupés sur des bases situées au Québec. En rationalisant ces forces, de façon à éviter tout gaspillage, il y a moyen de répondre aux besoins de présence du Québec dans l'alliance occidentale, que nous n'avons pas l'intention de rejeter. Il faut aussi des forces pour aider à maintenir un minimum de paix dans le monde. Sans oublier les besoins de sécurité intérieure.

— Le programme du P.Q. annonce un régime présidentiel, un système social accordant des chances égales à tous à l'intérieur des moyens québécois, et, rapidement mais prudemment, un certain «rapatriement» économique. Est-ce l'annonce d'une nationalisation de l'économie québécoise?

— Pas du tout. Le rapatriement économique commencerait à se faire d'abord par le rappel de tous les revenus publics. Un État majeur doit contrôler notamment les principales institutions financières. La loi canadienne actuelle, en ce qui concerne les banques à charte, prévoit à peu près ceci: les étrangers, les non-résidents n'ont pas le droit de détenir plus de 25% des actions de contrôle, et les actionnaires identifiables n'ont pas le droit d'avoir plus de 10%.

La loi établit donc un contrôle contre toute ingérence étrangère dans le système bancaire.

Cette structure législative et les règlements qui l'accompagnent, inspirés nettement de la tradition britannique, ont fait que le système bancaire canadien est dominé par cinq ou six géants, dont aucun n'est québécois d'origine. Le Québec n'a pu récupérer que deux petites banques, la Banque canadienne nationale et la Banque provinciale, qui sont un peu les nains de la famille bancaire. Heureusement s'ajoute à ces deux banques l'ensemble des coopératives d'épargne et de crédit, le mouvement Desjardins, dont la puissance ne cesse de s'accroître, mais qui demeure encore très minoritaire dans cet ensemble financier. Ce que la souveraineté nous permettrait, c'est de briser ce corset aliénant et d'interdire aux non-résidents du Québec et aux étrangers, quels qu'ils soient, de détenir plus de 25% d'une banque. Donc, en un mot, de rapatrier le contrôle de notre système bancaire.

De la même manière, dans le domaine des assurances, la loi fédérale prévoit que pour chaque dollar encaissé la compagnie doit investir au moins 1,10 dollar pour garantir les obligations. Jusqu'ici, rien de plus classique et normal. Seulement, dans les assurances aussi, cette loi s'applique à l'ensemble du territoire canadien. L'argent qui est donc perçu dans le Québec n'est pas équitablement réparti en investissements comme il devrait l'être normalement, si l'on tenait compte réellement des dimensions provinciales du Québec. On essaie de nous faire croire, bien entendu que nous nous trompons sur ce point, mais nous savons bien que ce n'est pas vrai. L'argent du Québec, centralisé par les assurances, peut très bien s'en aller à Terre-Neuve ou au Labrador, ou ailleurs dans l'ouest du Canada, pour les investissements pétroliers par exemple, et nous n'avons aucun pouvoir véritable de canaliser cette accumulation de capitaux. Seule la souveraineté pourrait permettre ce contrôle.

Les sociétés étrangères n'ont rien à craindre de ce qu'on leur présente comme un «nationalisme» intransigeant. En temps opportun, nous publierons un «code des investissements» qui donnera un tableau clair des secteurs de notre économie dont nous acceptons de partager le contrôle, et où les sociétés étrangères pourraient demeurer ou pénétrer, à condition d'y admettre des Québécois comme dirigeants.

— Pour sauvegarder votre indépendance vis-à-vis des milieux d'affaires, il serait intéressant pour votre gouvernement de pratiquer une politique d'autonomie financière. N'allez-vous pas vous heurter, comme à un butoir, à l'étroitesse du marché financier québécois?

— L'étroitesse du marché québécois, qui correspond à une population de six millions d'habitants seulement, signifie en contrepartie que nous n'avons pas les problèmes de 250 millions d'Américains ou de 300 millions d'Européens, ou même de 55 millions de Français. Le Québec est un grand producteur de capitaux et d'épargne. Il dispose d'un potentiel important d'investissements. Dans le contexte paracolonial où nous sommes, en moins de quinze ans, de

1961 à 1975, il y a eu une exportation nette de 9 milliards de dollars. Pour une société de six millions, cela représente un surplus énorme. Mais cette hémorragie tient en grande partie au fait que les investissements sont chez nous trop contrôlés de l'extérieur. La place boursière de Montréal n'a pas la vitalité de celle de New York, ni même de Toronto. Notre argent s'évade trop. Il revient même parfois, sous une emprise étrangère, développer le Québec. Cet état de choses, dû à l'absence de contrôle des mécanismes des leviers de l'investissement, du circuit de l'épargne et de l'accumulation du capital doit changer. La tradition québécoise d'épargne est une force, à condition d'être canalisée à notre profit, ce que permettrait justement une structure législative et réglementaire renouvelée.

— *Vous faites souvent référence, comme à un modèle, au Marché commun. C'est paradoxal. La Communauté européenne, dont le contenu politique est restreint, traverse une crise grave. Les Neuf constatent qu'aucun grand problème économique n'a été résolu.*

— Quand on regarde l'évolution de l'Europe depuis le traité de Rome, on ne peut nier le progrès et le développement que le Marché commun a permis. Le Marché commun a favorisé, en ouvrant les frontières comme jamais auparavant, une évolution absolument sans précédent en Europe. Il a provoqué, en mettant certains pays au pied du mur, une certaine modernisation, une concurrence interne. Il a contribué à faire sauter les verrous des protectionnismes traditionnels. Il a stimulé le développement d'ensemble de l'Europe. De plus, la Communauté européenne a aussi été, bien souvent, le moyen d'atténuer beaucoup des vieilles haines et des animosités séculaires qui sévissaient en Europe. En ouvrant les frontières, un courant d'interrelations et de rapprochements semble s'être bien établi, beaucoup plus facile, beaucoup plus cordial qu'autrefois. Cette réussite, qui me paraît extraordinairement valable, peut inspirer largement le Québec et le Canada.

— *Vous croyez donc qu'Ottawa acceptera de jouer le jeu de l'association économique?*

— J'ai l'intime conviction que l'association économique proposée par le Québec sera acceptée. N'oubliez pas que le Canada, pour se défendre de son voisin, le géant américain, a toujours entouré son marché de protections douanières. Et c'est à l'intérieur de ce marché que les sociétés américaines se sont installées, surtout en Ontario. Mais leurs coûts de production restent suffisamment élevés pour qu'elles aient besoin du vaste marché intérieur du Canada. Pour l'Ontario, le bassin de vente est naturellement le Québec, qui représente de 30 à 40% des marchés de certains produits manufacturés. Y renoncer, c'est perdre des milliers d'emplois. Abolir si peu que ce soit les barrières douanières avec les États-Unis, c'est ruiner les succursales et les satellites des sociétés américaines. Si le Québec décide, démocratiquement, non pas de tout briser, mais de proposer une asso-

123

ciation, je crois que les autres provinces vont entendre la voix du pragmatisme et du réalisme.

— *Mais si le Québec sortait, éventuellement, du Canada cela ne serait-il pas l'amorce d'une dislocation politique et économique de la Fédération?*

— Je ne suis pas prophète... mais deux hypothèses se présentent. La première: le Canada profitera de ce choc pour se réorganiser, et je verrais très bien l'apparition d'un ensemble d'États semi-autonomes, où la dimension canadienne pourrait persister (conjointement avec cette association proposée par le Québec), mais de façon plus souple et plus large, pour aboutir à une décentralisation réelle des pouvoirs, car le Canada est un des pays les plus rigides, les plus suradministrés, surbureaucratisés qui soient dans le monde occidental. Car le Québec a toujours été l'empêcheur de danser en rond, et c'est pourquoi l'on a préféré, pendant la dernière période, ne pas changer les institutions, ne rien réaménager, de peur que le Québec ne puisse avoir le goût de changer davantage! Ce pourrait être l'occasion d'assurer une nouvelle lancée vers l'avenir qui permettrait à tout le monde de mieux respirer, et de respirer ensemble. C'est, à mon sens, la première branche de l'alternative que pourrait choisir le Canada.

Seconde hypothèse: la «théorie des dominos», qui serait une espèce de dégringolade traumatique d'un Canada s'émiettant, les Maritimes décidant de s'isoler ou de choisir un protectorat américain, ou même de revenir sous l'ombrelle britannique, car la

124

tradition anglaise est très forte dans ces provinces, l'Ontario essayant désespérément de maintenir ce qui reste. L'Ouest, qui n'a pas le même enracinement d'origine anglo-saxon, déciderait de se joindre aux États-Unis. C'est pour moi une théorie catastrophique, et je ne veux pas y croire. Le Canada anglais a en effet tout de même suffisamment de traditions et de «différences» par rapport aux États-Unis pour vouloir maintenir son identité... Sauf peut-être dans les provinces des Prairies autour de l'Alberta, encore qu'il y ait une prépondérance de la tradition anglo-britannique, notamment avec le système gouvernemental, qui est celui du Parlement britannique, et non le système présidentiel américain. Une tradition a fini tout de même par s'établir ici. Ce n'est pas pour rien que des milliers de jeunes Américains qui contestaient, et à juste titre, certains aspects de la guerre au Viêtnam ont trouvé au Québec et ailleurs au Canada, comme en Suède, une terre d'accueil. Beaucoup ont décidé de rester, sans tenir compte du pardon qui leur a été offert. Donc, il y a suffisamment d'identité canadienne, même si elle est souvent restée floue politiquement, même si le pays s'étend comme une espèce de grand ruban perméable le long de la frontière américaine. J'exclurais donc cette espèce de théorie du jeu de dominos qui tomberaient les uns après les autres parce que le Québec aurait retiré sa mise. J'ai plutôt confiance, et il me semble que notre attitude, au fur et à mesure que le temps passe et que l'échéance approche, doit être, par tous les moyens possibles, de privilégier la première branche de l'alternative. Nous devons rester très ouverts à une concer-

125

tation, que rien ne devrait exclure, même si surviennent quelques hostilités passagères.

— *Envisagez-vous une monnaie indépendante et une banque centrale québécoise?*

— Vous savez très bien que cela fait partie des domaines où, dans l'ensemble, l'opinion publique est très facile à inquiéter. Il y a quelque chose qui ressemble à une sorte de magie noire, dans le mot «monétaire». Il faut tout d'abord souligner que la politique monétaire canadienne a plutôt tendance à desservir les intérêts de l'est du Canada, à commencer par le Québec. À cause de distorsions dans le développement du pays, quand le chômage commence à se résorber en Ontario, qui est plus développé que le Québec, notre économie se trouve en plein creux de la vague. Ce que prévoit donc le programme de notre parti, pour le cas où le Québec serait un jour un État souverain, c'est la création dès le départ, d'une banque pour que nous puissions coiffer le circuit de nos institutions financières. Cette banque serait l'agent financier du gouvernement.

Mais, y aura-t-il une communauté monétaire avec le Canada? Voulons-nous en fait conserver la devise canadienne? Ma réponse à ces questions, c'est oui. J'en suis personnellement convaincu et c'est d'ailleurs l'un des éléments importants de notre projet d'association économique avec le Canada. Si je regarde l'expérience européenne, la chose semble difficile à réaliser. Ce n'est pas simple. Mais, nous n'avons pas, comme dans les vieux pays, cette tradition de souveraineté moné-

126

taire presque reliée à l'image nationale qui fait que le franc, c'est le franc, et puis que la lire, c'est la lire. Ici c'est le contraire. Il existe depuis longtemps une devise commune à l'espace économique ou au marché commun canadien. De part et d'autre nous pourrons avoir avantage à garder cette même monnaie pourvu qu'elle soit très surveillée dans le sens de l'équité et dans le sens du partage des obligations et des contraintes. L'indépendance monétaire est en grande partie une fiction aujourd'hui. Dans une économie d'échelle moyenne, très ouverte, fortement intégrée à d'autres, et soumise à une même influence économique extérieure, celle des États-Unis, les coûts de la perte d'autonomie monétaire en regard de la souveraineté peuvent être minimes. Plus les objectifs économiques, par exemple en ce qui concerne l'inflation, sont similaires, plus la perte d'autonomie est faible.

Nous voulons en fait que sur l'espace économique canadien les produits, les capitaux et les personnes continuent à circuler, autant que possible librement, sauf quelques exceptions. Pourquoi créer des entraves aux individus et aux entreprises en imposant de toutes pièces une contrainte monétaire en grande partie symbolique? Nous voulons éviter les aléas des fluctuations des taux de change et, surtout pour les entreprises, les frais de conversion de monnaie.

Pour nous et pour le Canada il y a donc avantage à poursuivre l'union monétaire actuelle.

— *Le gouvernement Lesage, dont vous avez fait partie, demandait, dès les années 60, une émancipa-*

tion économique du Québec au sein du fédéralisme.
Vous qui demandez la souveraineté politique, vous
n'insistez pas beaucoup sur l'indépendance écono-
mique.

— Jean Lesage, en effet, parlait beaucoup d'é-
mancipation économique, et moi aussi à cette époque-
là — c'était en 1960... Nous sommes aujourd'hui à
la fin des années 70, et les choses ne se présentent
plus du tout de la même manière. M. Lesage et moi-
même, nous parlions alors dans le contexte, accepté,
d'un État provincial faisant partie du Canada fédéral. Le gouvernement du Québec parle aujourd'hui
dans une perspective très prochaine de souveraineté
politique... Différence importante. Désormais, c'est
par la souveraineté politique que doit passer toute
émancipation économique véritable. Ce que, d'ailleurs, notre expérience des années 60 aura amplement
démontré! Je n'ai pas changé sur l'essentiel. En 1962,
quand on lançait le slogan: «Maîtres chez nous!»,
j'étais un peu gêné. Il s'agissait au fond de récupérer
seulement le contrôle de l'électricité. C'était un très
beau slogan, mais j'avais également conscience que
la récupération d'un certain nombre d'entreprises
d'électricité, même importantes, ne correspondait
pas, et de loin, à toutes les potentialités de ce «Maîtres chez nous!».

Aujourd'hui, avec l'évolution que j'ai suivie,
quand je dis: «Maîtres chez nous!», je sais très bien
qu'en parlant d'inscrire le Québec dans la mouvance
internationale je suis obligé de tenir compte de tout
ce que ce slogan implique pour les étapes suivantes.

128

Rien ne doit se faire au hasard. Nous devons éviter les traumatismes profonds et les erreurs d'aiguillage. L'une des choses fondamentales au moment d'une transition délicate, c'est de sauvegarder la liberté de passage pour les personnes et pour les biens. D'où la nécessité d'une union douanière aussi étroite que possible. Nos propositions répétées n'ont jamais reçu d'accord précis. Mais aucun homme politique responsable, en dehors du Québec, n'a affirmé que cette union ne se ferait pas. Nous ne voulons pas tomber dans l'improvisation. Nous ne cessons de penser à ce qui pourrait arriver après le référendum, c'est-à-dire à la mise en application immédiate de tout ce que le slogan «Maîtres chez nous!» sous-entend, si, comme nous l'espérons, notre option l'emportait. Mais nous ne devons pas prendre des accents triomphalistes, qui seraient quelque peu prématurés et présomptueux. Voilà peut-être ce qui peut expliquer certaines lenteurs qu'on nous reproche parfois.

— *Vous avez demandé à vos services de calculer le prix exact et le bénéfice de votre appartenance au fédéral. N'est-ce pas là un signe de votre hésitation à sortir du cadre fédéral?*

— Le chiffrage est effectivement utile. Mais il a pour moi une importance relative. Des zones grises existent toujours quand il s'agit de connaître le rapport coût bénéfices d'un régime politique. Il est pratiquement impossible d'arriver à des certitudes, d'autant qu'elles seraient tout de suite battues en brèche par les affirmations inverses de nos adversaires. Un exemple: une brigade canadienne fait partie des forces atlantiques stationnées en Europe. Tous les contribuables du Canada paient leur quote-part. Quel en est le coût exact? Et quel est le bénéfice pour le Québec de cette participation? Il est impossible de chiffrer ce genre d'opération.

Mais, à l'issue des conclusions bien avancées des experts, un fait demeure: l'appartenance du Québec au régime fédéral a des conséquences nettement négatives pour la province. Parlons-en simplement. Imaginez que je décide, dans la vie de tous les jours, de donner à quelqu'un la responsabilité de remplir mon réfrigérateur en lui donnant pour cela 50 dollars. Imaginez encore que ce quelqu'un, du haut de sa grandeur et de sa sagesse, décide de m'envoyer, par exemple, un joli tabouret valant 50 dollars. Cela ne répondrait absolument pas à mes besoins. Mais on pourrait me rétorquer que mes 50 dollars m'ont effectivement été reversés.

C'est ce qui arrive dans beaucoup de secteurs de la vie québécoise. Nous affirmons que les chiffres étaient en partie nos arguments. Ils démontrent que tout ce que le Québec a pu donner à la Fédération n'a jamais été rendu dans une même proportion par les politiques fédérales, alimentées, pour une part normale, par la fiscalité levée au Québec. Nous avons beaucoup donné, et presque servilement à certaines époques de notre histoire quand le Québec n'avait pas connu de sursaut. Comme s'il était écrit que nous devions éternellement nous faire «siphonner» nos ressources et notre développement.

Pour remonter au début du système fédéral, un cas précis illustre magistralement ce «siphonnage» presque systématique: l'Ontario a un territoire passablement plus étriqué que celui du Québec; pourtant, le réseau de chemin de fer en Ontario est beaucoup plus serré, plus dense, plus fonctionnel qu'au Québec. Ce réseau aussi a servi à ouvrir et à desservir la Prairie, l'Ouest... mais, sans jeu de mots, il a très souvent plutôt desservi le Québec. Notre province était pourtant celle qui payait alors le plus, parce qu'elle était la partie la plus peuplée du pays. On pourrait dire la même chose, à notre époque, de l'organisation des services aériens. Le Québec est sous-équipé! À croire qu'il l'a été systématiquement. Nous payons pourtant notre part, bien que nous sachions parfaitement que nos aéroports sont moins bien organisés et que nos lignes intérieures et extérieures n'ont pas autant de points de jonction qu'il serait nécessaire. La situation du transport aérien du Québec correspond à celle du chemin de fer du XIXe siècle. Tout cela fait partie du contentieux que nous aurons à démêler.

— *Le dossier du transport aérien a été aggravé par la grève des aiguilleurs du ciel québécois...*

— Ces aiguilleurs du ciel ne pouvaient pas obtenir le droit, et ne peuvent encore que très difficilement l'obtenir, de communiquer en français entre eux au Québec! Je ne dis pas aux États-Unis, ni dans le reste du Canada, mais simplement chez nous. Comme tous les problèmes de culture, cette question est vite devenue très émotionnelle. Mais ce qui m'a le plus frappé, ce sont les constatations que j'ai faites à l'occasion de ce conflit.

J'ai pu relever, avec stupéfaction, qu'avec notre quote-part versée au ministère fédéral des Transports nous payons à peu près 25% du budget de ce ministère — ce qui est proportionnel à la population du Québec. Et le Québec, le plus vaste des territoires provinciaux du Canada, possède plusieurs plaques tournantes d'aéroports comme Mirabel, Dorval, ou encore l'aéroport de Québec. Or, nous avons découvert qu'environ mille contrôleurs ou aiguilleurs se trouvent dans l'ouest de l'Ontario, et contrôlent et aiguillent à partir de l'Ontario sur à peu près la moitié du territoire québécois. De l'autre côté, dans la province du Nouveau-Brunswick, environ trois cents aiguilleurs, essentiellement groupés dans un aéroport secondaire, Moncton, contrôlent de cet endroit tout l'est du Québec. Dans notre province, le ministère fédéral n'entretient qu'environ deux cents aiguilleurs du ciel. Or, cette profession à hauts salaires est à la pointe de la technologie. Elle échappe au Québec.

— *En cas d'indépendance, le Québec supportera un supplément de charges qui sont assurées actuellement par le fédéral...*

— Tout d'abord, réglons le sort des générosités du régime fédéral! Toutes ces générosités sont financées d'abord et avant tout par nous-mêmes. Il faut globaliser pour avoir une estimation véritable du rapport entre tout ce que nous versons et tout ce que

132

nous recevons. Un exemple: les pensions reçues par la proportion de Québécois de plus de 65 ans ne correspondent pas tout à fait à notre mise de 25% environ dans le budget fédéral. Ailleurs, ce peut être l'inverse. C'est le total qui compte. Nous pourrions économiser chaque année des centaines de millions de dollars dépensés pour la bureaucratie gouvernementale. Nous payons souvent deux fois au provincial et au fédéral, beaucoup de services qui se marchent sur les pieds, qui se stérilisent mutuellement. Le ministère fédéral de l'Agriculture suit très souvent des politiques contre-indiquées et sabote les marchés agricoles québécois. C'est le cas très souvent de l'industrie laitière, qui constitue traditionnellement l'épine dorsale de la production agricole québécoise, et qui se sent littéralement étouffée. Autres exemples: les ministères des Forêts, ceux de l'Industrie et du Commerce, celui des Affaires sociales, et encore à Ottawa le secrétariat d'État qui recouvre le domaine de notre ministère des Affaires culturelles. Pour tous ces organismes fédéraux, le Québec paie sa part, qui est de 25%, mais il a développé ses propres services pour assurer ses besoins, compte tenu des différences de société et de notre volonté de maintenir la responsabilité de ce qui nous appartient.

De plus, les dépenses fédérales au Québec, créatrices d'emplois, ne s'élèvent qu'à 14 ou 15%, à peu près la moitié de notre participation. Même proportion pour les salaires payés par Ottawa à des fonctionnaires québécois francophones, peu nombreux chez les hauts cadres. Plus on monte au sommet de la bureaucratie, plus on a recours à un personnel qui coûte très cher. Or, c'est à ces niveaux que notre part est la plus congrue!

Pour ce qui est des achats de biens et de services qu'un budget aussi énorme que le budget fédéral peut injecter dans l'économie, là encore nous ne recevons que 15%, c'est-à-dire toujours à peu près la moitié de ce à quoi nous pourrions normalement prétendre. La péréquation, cette espèce de redistribution par le fédéral, ne fait, en réalité, que maintenir les distorsions qui se sont enracinées dans le régime. On a sur-développé l'Ontario et, dans l'ensemble, l'Ouest canadien, alors qu'on maintient un sous-développement relatif dans le Québec et dans les Maritimes.

— À Ottawa, toute une lignée d'hommes politiques — dont M. Trudeau est l'illustre exemple — serait garante du biculturalisme canadien. Ce sont des francophones que le pouvoir fédéral a nommés à des postes de haute responsabilité. Ce French power *installé à Ottawa ne va-t-il pas gêner l'accession du Québec à la souveraineté?*

— Mais Trudeau a échoué... C'est un échec sur l'essentiel: échec dans sa politique économique, échec dans certaines postures présomptueuses vis-à-vis de certains pays, comme si le Canada pouvait jouer à être une grande puissance, échec en ce qui concerne les institutions canadiennes et leur ajustement à l'évolution. Dès le départ, tout a été basé sur une vaste ambiguïté dont Trudeau ne pourrait plus aujourd'hui se dépêtrer, et qui a été assez bien illustrée par cette expression qui a couru pendant si longtemps: le «french power». Ce pouvoir s'est illustré vers 1967-1978 avec les «Trois Colombes». Marchand et Pelletier sont aujourd'hui sortis de l'arène. Leurs successeurs sont des hommes comme Lalonde et Chrétien, dont l'«image» n'a pas, ni ne mériterait, le même impact. Je crois, d'ailleurs, que nous assistons là aux derniers sursauts de ce régime... Peut-être survivront-ils encore à un autre scrutin, mais pas davantage... On a laissé se créer autour de ces hommes l'illusion d'un pouvoir qui serait celui de la minorité que nous sommes, d'un pouvoir français qui serait constitué par le fait que le chef du gouvernement, Trudeau, venait du Québec, que ses principaux adjoints étaient eux aussi québécois francophones, que, par conséquent, le Québec jouait un rôle déterminant, suffisant même pour changer l'orientation du Canada et en faire ce pays binational, biculturel dont on a rêvé depuis toujours. Or, tout cela s'est révélé complètement faux. Tout ce qui reste aujourd'hui est une loi qui s'appelle «loi des langues officielles», que P.E. Trudeau a réussi à faire passer de force, mais en faisant littéralement du chantage. Cette loi des langues officielles n'a rien changé. Elle n'établit en dehors du Québec que ce qu'on appelle le «bilinguisme de guichet», qui permet aux citoyens de s'adresser à un bureau fédéral, quand ils ont la chance d'en trouver un, en français. Cette loi a été mal avalée, mal perçue par le reste du Canada. Quand on a voulu en étendre l'application aux fonctionnaires fédéraux, la réaction de ce mandarinat d'Ottawa a été littéralement empoisonnée, ce qui fait que le gouvernement Trudeau a essuyé de graves échecs lors de certaines élections partielles qui eurent lieu dans la capitale fédérale, ainsi que dans plusieurs régions périphériques, échecs qui furent en partie dus à la hargne des fonctionnaires fédéraux anglophones, qui ne peuvent pas supporter une biculturisation de la fonction publique fédérale.

Notre victoire de novembre 1976 a donné un certain regain de vie à Trudeau et à son gouvernement. Peut-être gagnera-t-il encore une fois les élections, comme s'il était la dernière assurance contre le danger que nous représenterions, à ce qu'imaginent beaucoup d'Anglo-Canadiens. Comme en 1968, ils penseront qu'il faut absolument élire un Québécois pour mieux lutter contre un autre Québécois. Mais il reste que, à long terme, l'échec de Trudeau nous a aidés, en nous permettant d'avoir une meilleure perception de cet illusoire pouvoir francophone.

— *Les résultats des dernières partielles fédérales, l'échec qu'y a subi Trudeau, est-ce que ça confirme ce que vous avez dit?*

— C'est-à-dire, c'était à peine amorcé, cette espèce de retour du bâton... Maintenants, on voit très clairement à quel point il se précise, en dehors du Québec. Je ne suis pas prophète, je me souviens qu'en 58 (c'est drôle, c'est cyclique de dix ans en dix ans) il y a eu la «vision du Nord», puis le grand succès, l'espèce de vague de Diefenbaker. On sait à quel point ça a fini raide après. Il a fallu plus de temps dans le cas de ce qu'on a appelé la Trudeaumanie, vers 68.... C'est à ce moment que des gens m'avaient dit: «Trudeau, c'est un peu un contenant sans contenu.» Autrement dit, c'est le contenant de tous ceux qui sont mécontents, frustrés, et de ceux aussi qui voudraient, sans l'avouer, que le Québec cesse d'évoluer. Chacun jette, dans ce contenant qu'est Trudeau, ses préjugés, ses espoirs fous, son ennui, parce qu'il n'y avait vraiment pas autre chose qu'une espèce de campagne «glamour» pour vendre une image: la Trudeaumanie. Alors aujourd'hui, c'est le retour du bâton, c'est évident. C'est inévitable. Il ne faut pas oublier non plus que, au delà de Trudeau, il y a quand même quinze ans que le parti libéral est au pouvoir à Ottawa. C'est tout un bail, ça. Et c'est normal que ça s'use... En plus, depuis plus de dix ans, c'est la même figure de proue qui mène ce parti-là, une figure qui est arrivée dans une espèce de bain d'ivresse que rien n'aurait vraiment pu satisfaire ni maintenir indéfiniment.

Moi, je trouve surtout invraisemblable la gestion économique de ce gouvernement. Ils ont là-bas le pouvoir sur la masse budgétaire de loin la plus énorme — ça, c'est la fiscalité —, mais aussi sur les tarifs, c'est-à-dire les échanges avec l'étranger. Et la politique monétaire, qui est quand même une espèce de régulateur de tout ça. Or, comme «mismanagement», je pense qu'on est obligé de le dire, s'ils n'ont pas le championnat, ils n'en sont pas loin. Je ne sais pas ce qui va arriver aux prochaines élections fédérales, mais une chose est certaine: on assiste à la fin d'une période. Est-ce que ça va venir après des élections incertaines? Y aura-t-il un gouvernement minoritaire? Une chose évidente, c'est que ça ne peut plus durer indéfiniment. C'est aussi simple que ça. C'est la loi de la nature.

— Il semble rejeté du côté anglophone. C'est seu-lement le Québec qui le maintient...

— On n'est pas encore aux élections. Il ne faut pas sous-estimer les ressources d'un parti extraordinairement opportuniste qui a toujours essayé, quand il voyait qu'il était en danger, de faire des revirements et des rétablissements spectaculaires. Il ne faut pas sous-estimer ce que c'est, que l'attachement au pouvoir, peut-être plus dans le parti libéral que dans n'importe quel autre parti, parce qu'il s'agit d'une collection d'intérêts. Il n'y a pas de doctrine; il n'y a même pas ce qui peut rester de fond de doctrine.

Au Québec, j'ai bien l'impression que c'est normal. Ç'a été vrai pour Laurier, c'a été vrai pour Saint-Laurent. Et je pense qu'on peut dire la même chose de Diefenbaker : il vient d'Alberta et il a gardé l'Alberta avec lui, même dans la défaite; même aujourd'hui encore, l'Alberta est restée conservatrice. Il y a une sorte de solidarité durable autour du souvenir de ce vieux monsieur qui est, pour les gens de l'Ouest, un des leurs. C'est la même chose chez nous. On n'est pas porté à détruire un des nôtres, parce qu'on considère qu'on s'affaiblit un peu nous-mêmes. Alors, comme ça a été vrai pour Laurier, pour Saint-Laurent, j'ai l'impression que ça va l'être aussi, en grande partie, pour les libéraux, dans le Québec, tant que Trudeau va être là. Mais ça n'empêche pas le reste du pays, lui, d'évoluer dans l'autre sens.

— *En annonçant que le référendum était un mandat de négocier, n'avez-vous pas enlevé à Trudeau des armes pour sa prochaine campagne électorale?*

— J'espère bien! Parce qu'il s'est toujours drapé dans une espèce de manteau bien artificiel de sauveur du fédéralisme. Il nous traitait de «particule»: on est quand même un parti et on est au pouvoir. Il disait qu'on était enterrés: eh bien, les gens qu'il a enterrés, ils se portent joliment bien dans l'ensemble! Il ne s'agit pas de dramatiser; il ne s'agit pas non plus de se battre contre lui directement. Il s'agit simplement de le laisser s'arranger avec ses problèmes. On n'a pas à lui fournir des armes particulières. Ce qu'on a mis au point depuis deux ou trois mois, ça n'avait rien à voir avec Trudeau, ni directement, ni indirectement. Ce n'était pas conçu pour contribuer à sa défaite, ni pour le maintenir là. C'est le fond qui est important, pas les à-côtés. Et dans ce contexte-là, l'avenir des hommes politiques, au fédéral, que ce soit Trudeau, Clark ou d'autres (je vais employer un terme dont il s'est déjà servi pour les Premiers ministres québécois), l'avenir de ces personnages, c'est plutôt un épiphénomène. C'est vrai, par rapport au fond de la question. C'est vrai pour n'importe quel homme aussi, jusqu'à un certain point, à moins de se prendre pour plusieurs autres en même temps!

— *Marc Lalonde a déclaré que le Québec ne devait pas s'attendre à la coopération économique du reste du Canada, s'il décidait de se séparer...*

— Voyez-vous, ce pauvre Lalonde, il a publié deux études récemment: une sur la souveraineté-association, où il est question des contradictions qu'il nous prête, puis une autre sur l'économique. Dans les deux cas, il est obligé — ce qui est déjà sensationnel comme changement — de discuter de notre sujet et même de le mentionner dans les titres : souveraineté-association. Ç'aurait été impensable, il y a un an. Ça montre à quel point, quand même, les choses ont évolué. Ils sont obligés d'en discuter, maintenant. Alors, évidemment, il faut qu'ils arrivent à une conclusion négative : mettez-vous à leur place, ils défendent l'essentiel du statu quo. Par ailleurs, il y a un certain Dave Crombie, un homme pas mal remarquable, une force nouvelle en politique, qui vient d'être élu à Toronto. C'est lui, en fait, qui a entraîné derrière lui, essentiellement, le balayage des libéraux par les conservateurs. Je lisais quelque chose que Crombie disait, en risquant d'être mal interprété car c'était en pleine campagne électorale — c'était en fin de septembre. Il disait, en substance : « Moi, quand il y a des gens comme Davis ou d'autres — ce pourrait être Lalonde, ou n'importe qui — qui répondent à un gars qui voudrait éventuellement négocier : « Je ne négocierai jamais ! », moi je ne comprends pas ce qu'ils veulent dire... C'est tellement idiot, au fond, que je ne comprends pas. » Il n'est d'ailleurs pas le seul à avoir dit que, si le Québec décide clairement de négocier sur la base d'une nouvelle option, il faudra au moins en parler et négocier. C'est ça, la réaction d'un homme intelligent ; ou encore la réaction d'un homme que la politique n'a pas encore figé dans ses attitudes. Et c'est ça qui va arriver. On a dit naguère : « La reine ne négocie pas avec ses sujets. » Mais quand les politiciens disent *jamais*, il faut se méfier.

140

Parce que la reine, elle négocie à plein avec ses sujets. Des erreurs comme celle-là, il y en a sans cesse en histoire politique; et c'est plein, aussi, de gars comme Lalonde ou d'autres qui disent: «Jamais!» C'est toujours la même chose. Et puis après? On n'est pas si pressé. Ça prendra deux ans, quatre ans, cinq ans s'il le faut — mais je ne pense pas que ça puisse prendre plus de quatre ou cinq ans... De toute façon, ça s'en va dans cette direction, c'est un courant qui traverse le monde, c'est le courant de l'évolution la plus évidente au Québec. De plus, c'est dans l'intérêt, aussi bien politique qu'économique, du Canada. Alors, pourquoi pas?

— Mais qu'est-ce qu'il faut penser de la menace d'un contre-référendum que Trudeau a menacé de tenir à la grandeur du Canada, si jamais le Québec répondait oui?

— Ils peuvent bien tenir des référendums tant qu'ils veulent, mais à une condition: c'est qu'ils ne s'imaginent pas (on a vu ce que ça donnait, dans l'histoire de la conscription par exemple) qu'ils vont faire se contredire les Québécois, qu'ils vont faire contredire les Québécois par le reste du Canada, et que ça va donner des résultats valables. Si jamais ils font ça, ils vont plutôt susciter la «brisure» que nous, on veut éviter. On ne veut pas la «brisure»: on veut une réadaptation de deux sociétés, une co-existence qui leur permettrait de respirer, chacune à sa façon tout en continuant à coopérer dans des domaines qui sont essentiels, aussi bien politiquement qu'économiquement, à la santé des deux. Et s'ils prétendent contre-

141

dire l'opinion du Québec — alors qu'on n'a jamais voulu tordre les bras de Terre-Neuve, quand Terre-Neuve faisait un référendum pour se décider —, si on prétend la contrer par un référendum qui, dans le reste du pays, dirait : «On n'est pas d'accord», à ce moment, ils courraient après la «brisure». De toute façon, ça n'aura pas d'effets véritables sur la suite. Parce que la volonté du Québec de négocier quelque chose de nouveau avec le reste du pays, à mesure qu'elle se concrétise, à mesure qu'elle se rapproche, l'espèce de front commun négatif et stérile qu'essayent d'entretenir des gars comme Trudeau et Lalonde s'effondre dans les esprits. C'est pour ça que le oui du Québec, peu importent ceux qui s'imaginent toujours voir des reculs partout, il va avoir un poids déterminant.

— *On a l'impression que les partis politiques, vos adversaires, vont faire des campagnes très dures... Ça s'annonce déjà.*

— On ne s'attend pas à ce qu'ils nous fassent cadeau de la victoire! On sait très bien qu'ils ont le poids de l'argent; mais le poids de l'argent, il subit la loi des rendements décroissants... On ne peut pas faire des orgies indéfinies; ils peuvent le faire encore pendant un bout de temps, mais pas plus. Au moment du référendum, la loi dit quand même qu'il va falloir, comme pendant les élections, que les dépenses soient sérieusement contrôlées. Pour le reste, leurs arguments sont des arguments de peur. Or, la peur, ça a un rendement décroissant aussi... On a dit : «Non aux séparatistes, non aux séparatistes!» en 70; «Non aux séparatistes, non aux séparatistes!» en 73; «Non aux sépa-

142

ratistes, non aux séparatistes!» en 76! Ça ne nous a pas empêchés d'avancer.

— *Vous croyez vraiment que ça a marché, en 73?*

— Bien sûr, que ça a marché! Mais les votes sont passés de 23% à 31%. Ils nous ont enlevé un comté, mais ce qui importait (ça nous a pris du temps à nous en rendre compte, parce que c'est dur de perdre un comté quand on en a seulement sept), c'était de voir le vote populaire monter de 23% à 31%. Parce que c'est ça qui représentait, quand même, le résultat important. Tant mieux si on avait eu aussi des comtés en plus. Si j'étais obligé de choisir entre une baisse du vote populaire et un plus grand nombre de comtés, dans le contexte d'un peuple qui doit décider de son avenir, moi, je choisirais tout de suite l'augmentation du vote populaire... Les comtés, tant mieux si on en a aussi davantage.

— *Que deviendront les partisans du* statu quo *actuel ou d'un fédéralisme renouvelé, si votre option était finalement retenue par une majorité de Québécois?*

— Il faut revenir à l'exemple américain. Un certain nombre de loyalistes américains, qui restaient attachés à la Couronne britannique, quittèrent les États-Unis après l'indépendance, pour venir s'établir au Canada, en Angleterre ou ailleurs. Ils furent à l'origine de ce qu'on appelle aujourd'hui l'Ontario et du territoire qui se trouve à l'est du Québec, c'est-à-dire le Nouveau-Brunswick, et d'une partie de la colonisation du Québec même, qui constitue les cantons de l'Est. Plusieurs milliers d'Américains ont quitté les États-Unis, à la suite de divergences intellectuelles fondamentales sur l'avenir du pays. Le même exode, en plus petit, en moins dramatique, peut se produire. Il se produira sans doute pour quelques centaines, quelques milliers peut-être de Québécois, et même de francophones, qui n'accepteront pas la décision de la majorité si elle va dans notre sens. Il n'est pas surprenant que tous ceux qui profitent du régime actuel de la province se battent pour continuer à en profiter. Il y également des Québécois qui sont intimement convaincus qu'il vaut mieux maintenir le *statu quo* plutôt que de changer de régime. Cette conviction, qui n'a rien à voir avec des intérêts, est infiniment respectable, et notre rôle est de tâcher de convertir ceux-là sans les agresser.

Quatrième Partie

LE RÉFÉRENDUM

— *Vous avez promis, au cours de la dernière campagne électorale de 1976, qu'en cas de succès vous organiseriez un référendum sur l'avenir constitutionnel de la province. Deux ans se sont écoulés depuis votre arrivée au pouvoir. On dit maintenant que le référendum n'aurait même pas lieu au printemps 1979, mais en 1980.*

— Nous avons décidé et annoncé, et nous nous y tenons, que le référendum central sur la question se tiendrait pendant la durée du mandat de cette législature. Ce mandat peut aller jusqu'à la limite légale de cinq ans, c'est-à-dire l'automne 1981. Mais la tradition veut que cette durée soit de quatre ans environ. Nous ne pouvons pas encore dire à quelle date le référendum se situera. Mais cette incertitude n'exclut pas que tous ceux qui veulent travailler pour ou contre notre option puissent le faire dès maintenant. On n'y a d'ailleurs pas manqué.

Le P.Q. n'a jamais dit, durant la campagne électorale, que la victoire aux élections du 15 novembre 1976 signifierait la proclamation immédiate de l'indépendance. Tous les Québécois le savent bien depuis 1974. Le Conseil exécutif et le groupe parlementaire du P.Q. ont adopté alors la stratégie dite de l'étapisme.

J'ajoute que le Québec n'a jamais disposé d'une loi-cadre sur le référendum. Il a fallu préparer cette loi en étudiant ce qui s'était fait dans d'autres pays, notamment au Canada avec les deux consultations populaires qui ont abouti à l'entrée de Terre-Neuve dans la Fédération, ou encore en Angleterre au moment de son acceptation du Marché commun, ou enfin dans les cantons suisses et en France. Cette loi est prête. Désormais, la procédure du référendum peut être déclenchée à tout moment.

je n'ai jamais minimisé la question du «séparatisme» pendant la campagne de 1976. Ce n'est un secret pour personne que le dessin essentiel du P.Q. est d'arriver à la souveraineté, seul moyen d'obtenir l'égalité de deux peuples, la sécurité culturelle pour le nôtre, l'équilibre régional, et de mettre fin à la manipulation de l'extérieur. Nous avons d'ailleurs largement entamé le procès de la participation du Québec au régime fédéral canadien. Et notre stratégie prévoit que, bientôt, nous ouvrirons «en grand» la campagne plus positive, autrement exaltante aussi, qui mènera au référendum, c'est-à-dire à la première chance que l'Histoire aura fourni aux Québécois de décider eux-mêmes de leur avenir collectif.

— *Pourquoi avez-vous préparé un Livre blanc, qui a donné naissance d'ailleurs à une loi-cadre sur les consultations québécoises?*

— Le Livre blanc n'était pas un projet de loi, au sens strictement juridique. C'était l'énoncé essentiel de ce que serait le projet de loi. Nous avons suivi le

146

système des *White Papers,* de tradition britannique, qui commence en fait par les *Green Papers,* établissant des perspectives dans un domaine précis. Pour la loi du référendum, le Livre blanc était très concis, très concret, très compact, pour qu'il ne se perde pas dans la brume et qu'il philosophe le moins possible. Il établissait simplement le principe du droit de la consultation populaire. Il évoquait l'initiative populaire que nous aimerions voir se développer au Québec comme pratique politique. Mais il balisait surtout ce que serait la consultation provoquée à l'initiative gouvernementale, c'est-à-dire le référendum. Après d'interminables débats, depuis juin 1978, la loi est en vigueur.

— *Supposons que 50% des Québécois votent oui au référendum et vous donnent ainsi le mandat de négocier... Si l'on tient compte du fait qu'il y a à peu près 20% de voteurs anglophones au Québec, est-ce que ce pourcentage signifierait l'accord d'une nette majorité de Québécois?*

— Tout bonnement si 50% plus un se sont prononcés pour le oui! Un point cependant: puisque la minorité anglophone représente 18 à 20% des suffrages, et qu'elle se prononcera massivement contre, si nous remportions ne serait-ce que 50 à 51% des voix, cela indiquerait clairement une très forte majorité du côté francophone. Mais laissons donc de côté cette arithmétique référendaire. Que se passe-t-il dans l'esprit des Québécois? Il est certain que le temps travaille pour nous. Il y a à peine dix ans, seuls les jeunes jusqu'à trente-quatre ans étaient favorables à l'idée indépendantiste. Au-dessus de quarante ans, les fédéralistes l'emportaient, et de loin. Aujourd'hui, nous constatons, par des sondages réguliers, que les jeunes générations de 1968 n'ont rien abandonné de leurs convictions premières, et que les jeunes de 1978 sont dans l'ensemble encore plus viscéralement québécois. Le Canada anglais ne peut plus s'imaginer qu'il peut revenir aux pressions de la période antérieure et maintenir le Québec «sous le boisseau». Le sentiment national des Québécois est une réalité. Et si le butoir du Canada anglophone persistait, une radicalisation du nationalisme ne manquerait pas de se produire.

— *Supposons qu'il y ait 48%, par exemple...*

— J'aime quasiment mieux ne pas y penser... Ça, ce serait un peu dangereux... Parce que tout ce qui flotte autour de 45-50% veut nécessairement dire qu'il y a une majorité francophone qui a voté oui. Moi, j'aimerais mieux que la majorité francophone (avec un certain nombre de concitoyens anglophones, parce qu'il y en a quand même qui sont avec nous, surtout chez les jeunes) emporte le oui complètement. Sinon, ce serait, disons, difficile à avaler. Ça voudrait dire qu'une majorité francophone s'est clairement exprimée pour le oui, mais qu'elle a été bloquée par une minorité. Et même si c'est les règles du jeu... C'est pour ça qu'on va travailler d'arrache-pied pour avoir 50% et plus...

148

— En annonçant que le référendum mènerait à un mandat de négocier, comptiez-vous mettre plus de chances de votre côté pour obtenir un oui majoritaire?

— Non, parce que, chez nos adversaires, la majeure partie ne marchera quand même jamais avec nous. Là-dedans, il y a la plupart des anglo-québécois, évidemment, qui d'instinct aiment mieux se coller à la majorité «canadian», la majorité du reste du pays. Il y a aussi, bien sûr, les adversaires politiques ancrés, et tous ceux à qui on pourra faire partager certaines opinions négatives. Ce qui prouve bien, quoique d'aucuns en pensent, le poids de ce référendum... Il faudrait se débarrasser de cette espèce de complexe qu'on a, qui nous porte à croire que notre voix n'a pas tellement de poids... Enfin, il s'agit de négocier quoi? Il s'agit d'un mandat pour aller négocier souveraineté et association: c'est-à-dire de quoi mettre fin, pour le Québec, au régime fédéral. Il ne faut pas se faire d'illusions: même s'il ne s'agit que d'un mandat pour négocier, c'est un mandat qui est quand même historique, déterminant au point de vue du changement. Ce n'est pas pour rien qu'ils se mobilisent pour le non et qu'ils n'arrêteront pas. C'est que le oui règlerait la question.

— Certains soutiennent, toutefois, que la souveraineté ne se négocie pas...

— Faut arrêter de charrier! C'est vraiment jouer avec les mots. C'est évident que, dans un sens, la souveraineté ne se négocie pas. Si le Québec exprime sa volonté d'être un État souverain (même tout ça enveloppé dans une négociation, parce qu'on accepte la continuité de certaines choses qui devraient être associées entre les deux peuples), à partir de là, ce qu'on négocierait, c'est essentiellement l'association. Mais si on négocie l'association, par définition la souveraineté en sort aussi. Les trois articulations essentielles de l'association, on les a déjà dites; les deux qui concernent le Québec et le Canada, c'est le marché et la monnaie. Mais, en même temps, si la négociation s'ouvre, et si elle continue, on ne négocie pas la souveraineté, d'accord, mais ne faut-il pas négocier le rapatriement des pouvoirs? Parce que ça ne se fait pas du jour au lendemain, ça... Notre programme de parti dit qu'on va exiger le rapatriement des pouvoirs. Bien sûr, on se fait plaisir quand on dit «exiger». De toute façon, qu'on l'exige ou qu'on dise qu'on vient le chercher, par définition ça implique qu'il y a une négociation sur bien des choses: le transfert, les étapes, etc. On ne bâtit pas un gouvernement national complet du jour au lendemain. C'est pour ça qu'il faut négocier.

— *S'il y a des assises d'ordre économique, d'association comme telle, est-ce que ça suppose, comme M. Morin l'a déjà suggéré, une certaine forme de parlement, de représentation?*

— Non, pas du tout. D'ailleurs, on a été injuste, comme c'est souvent le cas dans ces maudites manchettes qui s'arrangent pour essayer de faire de la nouvelle. (Quand il n'y en a pas assez dans le contenu, on en fait par les manchettes, c'est une espèce de maladie actuelle des media d'information... On devient ainsi beaucoup plus spectaculaire qu'il y a une trentaine d'années, mais on dirait qu'une sorte d'intégrité, une sorte d'honnêteté fondamentale de l'information, est en train d'en prendre un coup de ce temps-là.) Alors, prenez cette manchette au sujet de Claude Morin; si vous lisez le contenu, c'est autre chose. Si j'ai bonne mémoire, M. Morin, qui a déjà été un enseignant côté et qui, dans ses loisirs, essaie de garder la main, a été appelé à donner deux ou trois conférences à l'université de Sherbrooke. À un certain moment, on lui a parlé des modèles d'association dans le monde. Alors, comme il y a toutes sortes de modèles, il en a expliqué une série, y compris celui de l'Europe qui s'en va vers l'élection d'un parlement multinational. Et c'est à la suite de ça qu'un illuminé quelconque a décidé que peut-être, la manchette, ce serait la possibilité d'un parlement — autrement dit, d'un nouveau parlement fédéral. Je trouve ça un peu... difficile à digérer, cette espèce de besoin de faire de la nouvelle. Non, en fait, il va falloir qu'il y ait des organismes éventuels qui, au moins au niveau technocratique, soient formés pour administrer les choses communes. Autrement dit, il y aura sûrement des secrétariats, pour administrer une entente sur les marchés, une entente sur la monnaie. Il faudra des structures pour ça. Il faudra aussi que des ministres responsables, de chaque côté, se réunissent quelques fois par année. Il peut y avoir, également, une sorte de parlement délégué: de chaque côté, on déléguerait des députés qui sont déjà dans leurs parlements, pour se rencontrer une ou deux fois par année — ce qui s'est fait jusqu'ici en Europe. Ça peut aller plus loin, au besoin, mais à une condition: que ce qui est la souveraineté dans toutes ses dimensions définies, le jour venu, ne soit pas affecté ni encarcarné par des structures extérieures.

— Et dans ce contexte, comment voyez-vous l'arrivée de M. Ryan sur la scène?

— Je dirais une chose, que j'ai jamais dite sauf à certains de nos amis, au moment où se brassait le congrès du parti libéral. C'est vrai que dans l'ensemble, Ryan peut donner une espèce d'image réformiste, une sorte d'image d'intégrité... Il n'a jamais eu à se colleter avec la politique; donc, c'était peut-être plus facile de se donner cette image-là. Cela dit le gars que je préférerais pourtant comme chef du parti libéral et comme adversaire, c'était M. Ryan. J'ai l'impression qu'il y a certains de ses défauts — tout le monde en a — qui vont paraître assez vite pour que son efficacité politique ne soit pas celle que certains imaginatifs gonflaient démesurément. D'autre part, l'intégrité, l'image d'intégrité, du moins, qu'il a apportée, est utile aussi pour la société. Alors sur les deux plans, c'était lui que j'aimais le mieux voir venir... L'avenir dira comment ça va se passer. J'ai remarqué une chose qu'il disait avec cette habitude un peu sournoise qu'il a de viser indirectement les adversaires, de voir s'il n'y a pas moyen de les saper sans les nommer. Il disait (je ne cite pas mais c'est à peu près ça): «C'est peut-être mieux que j'arrive à cinquante-trois ans plutôt qu'à trente ou trente-cinq ans; ce serait trop vite.» Je ne sais pas qui il visait, moi je me suis embarqué à trente-sept ans. Chacun a son moment dans la vie...

Mais je ne suis pas si sûr que son raisonnement soit bon, parce qu'à son âge, c'est difficile de se débarasser de certaines habitudes acquises... d'un certain style pontifical, par exemple, et de certaines choses comme ça, qui se sont enracinées au fil des années. C'est difficile de se débarasser de tout ça pour essayer de retrouver de la souplesse... Les muscles, au propre comme au figuré, ils durcissent en vieillissant. Je ne souhaite de malheur à personne, mais j'ai l'impression que c'est peut-être, sur les deux plans encore une fois, le meilleur adversaire qu'on pouvait avoir.

— *On a dit aussi que la venue de Ryan, c'était un retour en arrière, au duplessisme...*

— Non, non, je crois qu'il faut être équitable. Je pense que c'est quand même un homme qui, à travers des pèlerinages parfois très laborieux, comme ses pavés dans le Devoir, avec tout ce que ça impliquait de recherches, a essayé de se tenir au courant. Mais, entre se tenir au courant des dossiers, de l'extérieur, et plonger dans ce monde qui ressemble souvent à une jungle, dans ce monde très difficile de la vie politique active... eh bien, il y a un sacré saut. Et j'ai l'impression qu'avec ses qualités et ses défauts, M. Ryan commence à reprendre une taille très normale. Les congrès, ça idéalise, et puis ça grossit l'image terriblement. Mais je pense qu'on se rend compte qu'après tout, il s'agit d'un homme parmi d'autres, comme c'est mon cas, comme c'est le cas des autres. Les messies... il n'y en a pas.

— Pierre Elliott Trudeau a promis, en décembre 1976, de démissionner si les Québécois se prononçaient pour l'indépendance. Si vous perdez le référendum, en ferez-vous autant?

— J'ai répondu, à ce moment-là, que je ne faisais pas de promesse aussi frivole. Libre à Trudeau de dramatiser la situation. En un sens, d'ailleurs, le Premier ministre d'Ottawa tirerait des conclusions logiques: ne doit-il pas en grande partie sa réélection, depuis 1968, au fait que les anglophones le considèrent comme le seul homme politique capable d'éviter la sortie du Québec de la Confédération? En ce qui me concerne, je n'ai pas l'intention de démissionner si la réponse est défavorable au référendum. Nous avons été élus pour remplacer Robert Bourassa et donner «un vrai gouvernement», un bon gouvernement, au Québec. Notre mandat n'est pas lié au résultat du référendum, dont nous avons, durant toute la campagne, bien distingué la question de celle du redressement économique et politique.

— L'entrée de Terre-Neuve dans la Fédération a été décidée à l'issue de deux référendums auxquels tous les Canadiens ont participé. Croyez-vous que la sortie du Québec pourrait se faire à l'issue d'un unique référendum, ouvert aux seuls Québécois?

— Ce référendum ne saurait impliquer que les seuls Québécois. Toute intervention, fédérale ou autre, serait rejetée comme étant le signe d'une tutelle insupportable. Je ne peux rien dire encore du processus qui s'enclencherait après un résultat favorable.

154

Mais je rappelle ce que je disais lors de ma visite officielle à Paris, en novembre 1977: «Il est de plus en plus assuré qu'un nouveau pays apparaîtra démocratiquement sur la carte.» Je sais que de beaux esprits ont proposé qu'un contre-référendum, organisé sous la responsabilité d'Ottawa, vienne «corriger» les résultats de celui que nous allons organiser. Trudeau a même annoncé un jour, de façon impromptue, que son gouvernement envisageait une consultation nationale. Il a d'ailleurs présenté, peu après, un projet de loi dans ce sens. Mais ce texte improvisé est rempli à la fois de tant de «trous» et d'outrances qu'on peut difficilement le prendre au sérieux. C'est tout au plus l'instrument de chantage d'un régime aux abois.

— *À votre avis, faudra-t-il tenir plusieurs référendums pour arriver à faire triompher l'option québécoise?*

— J'exclus formellement un second référendum pendant le même mandat. D'ailleurs notre loi-cadre nous l'interdit. Pour le reste, on ne peut jamais savoir. Trudeau et d'autres politiciens ont évoqué la tenue d'une cascade de référendums pour tenter sans doute de ridiculiser celui que nous avons promis de tenir avant la fin de cette législature. Un précédent existe ici même au Canada. La province de Terre-Neuve a été la seule à être consultée démocratiquement pour son entrée dans la Fédération. Les autres ont été plutôt versées dans la Confédération, et consultées ensuite seulement, par ce régime qui, pour être

155

l'un des plus vieux au monde, n'en est pas moins impérial et colonial de naissance. Les habitants de Terre-Neuve furent donc consultés deux fois. La première fois, en 1948, trois questions leur furent posées: on leur demandait ou de conserver le lien traditionnel avec la Couronne britannique (car ils étaient sous l'administration royale de Londres), ou bien de devenir totalement autonomes, ou enfin de se joindre au Canada. Cette première consultation éliminera d'emblée le maintien de la dépendance directe de Londres. Des deux autres options, aucune ne prévalut. Un second référendum, organisé dix-huit mois plus tard, en 1949, proposa deux solutions: ou bien s'administrer, ou bien rejoindre le Canada. C'est le lien fédéral qui l'emporta par une faible majorité. Le précédent existe.

— *Mais Ottawa pourrait refuser de tenir compte du résultat du référendum. Il ne manque pas, dans l'histoire, d'exemples de plébiscites et de référendums qui n'ont pas été reconnus, et qui même ont été prétexte à une intervention en force. Le Premier ministre de la Saskatchewan n'en a d'ailleurs pas écarté la possibilité catastrophique, au cas où le Québec déciderait son indépendance.*

— Chaque fois que ces consultations ont été claires, les résultats se sont imposés d'eux-mêmes. On a refusé d'en tirer les conséquences quand les plébiscites ou référendums se sont déroulés dans des contextes de coercition. Je n'en vois point au Québec. Remarquez qu'on ne peut jamais être à l'abri d'erreurs de parcours. Mais je crois que la démocratie canadienne et que les attitudes de responsabilité souvent manifestées au Canada anglais et au Québec sont une garantie. Si le peuple québécois, très clairement et très démocratiquement, indiquait sa volonté de changement, y compris d'atteindre à la souveraineté, le reste de l'ensemble canadien ne saurait faire autrement que d'accepter cette décision collective, à moins de se déshonorer.

Contrairement à certaines allégations, les Québécois ne considèrent pas la minorité anglophone, comme une communauté d'«otages en puissance». C'est au contraire le groupe social le plus riche, occupant les plus hauts postes dans l'économie, la finance, les entreprises privées. Les autorités fédérales ne pourraient pas justifier, en admettant qu'elles y aient jamais pensé, une intervention au Québec, comme elles le firent en 1970, en prétextant un complot et une tentative d'insurrection, après l'enlèvement de James Cross et de Pierre Laporte.

— Que feriez-vous si Ottawa refusait d'ouvrir des négociations pour définir ses nouveaux rapports entre le Québec et le reste du Canada? Ces liens d'interdépendance que vous avez offerts, à l'avance, à plusieurs reprises, vous semblez les avoir présentés en vain, puisque les Premiers ministres des provinces les ont refusés catégoriquement.

— Le simple bon sens, fondé sur la situation géopolitique exclut, à mon avis, que l'on ferme la porte définitivement. Et je ne crois pas que ces délais seront très longs. Au fond, la majorité anglophone au Canada se conduit un peu avec des complexes patronaux, ce qui est normal après deux siècles de domination. Je ne connais, pour ma part, aucun patron, surtout «de droit divin», bien ancré dans ses certitudes absolues, qui n'ait répondu à ses ouvriers présentant pour la première fois des revendications qu'il refusait de négocier, qu'il détruirait son entreprise plutôt que céder. Le moment venu, si ce patron a encore la tête sur ses épaules, il renonce à mettre la clé sur la porte et il négocie, sachant qu'il reste des intérêts à ménager pour l'avenir. Les refus absolus, les déclarations catégoriques faites *ex-cathedra,* les «Jamais nous ne pourrons accepter» que de nombreux politiciens font entendre sont axés sur une stratégie simpliste: encore une fois faire trembler, faire hésiter cette minorité peureuse, complexée que nous étions jusqu'au 15 novembre 1976. Tout fut mis en oeuvre, durant la dernière campagne électorale, par nos adversaires libéraux et toute la batterie des milieux d'argent, inféodés au régime fédéral actuel, pour nous intoxiquer au moyen d'une propagande abusive, dont le mot clé: «Non au séparatisme, ce serait la fin du monde», revenait sans cesse, avec toutes les évocations d'une apocalypse qu'ils pouvaient brandir pour nous effrayer. Cette exploitation des éventualités découlant d'une rupture du *statu quo* est traditionnelle. Mais ces clameurs et cette campagne de faux bruits connaissent la loi des rendements décroissants.

La rumeur du déménagement des sièges sociaux installés à Montréal s'est dégonflée comme une baudruche. Cette affaire ramenée à de plus justes proportions, que constatons-nous? Que des sociétés s'installent à Toronto ou Calgary (comme d'autres aux États-Unis quittent New York pour Chicago), se déplacent vers les nouveaux foyers de développement, vers l'Ouest et l'Alberta, et non pas pour fuir je ne sais quelle épouvantable «québécisation» de notre économie. Cela dit, nous nous attendons à ce que le «catastrophisme» économique aille en s'accroissant dans la période de remise en cause ouverte avec notre arrivée au pouvoir.

— Les partisans du fédéralisme vous accusent de ne pas attendre le verdict des Québécois au référendum et d'avoir largement instauré un processus systématique de grignotage des pouvoirs d'Ottawa. Quand le référendum arrivera, disent vos adversaires, il sera déjà trop tard.

— J'ai promis de jouer le jeu, c'est-à-dire de gérer le Québec selon les règles en vigueur, comme une province canadienne, et non comme une préfiguration de l'État souverain du Québec. Mais la règle des règles de ce faux système de confédération, qui constitue, en réalité, une véritable fédération où Ottawa empiète sur tous les pouvoirs provinciaux, est de revendiquer sans cesse et avec vigueur contre le fédéral. Il faut que nous récupérions la maîtrise de notre politique d'immigration, de la langue, des communications (télévision, radio, transmissions), des ressources naturelles et de l'épargne, pour ne citer que les questions les plus urgentes. Nous n'avons pas le droit d'attendre le terme de notre démarche

159

pour tâcher de remettre de l'ordre dans la maison, et, comme l'ont fait tous nos prédécesseurs dans cette souque-à-la-corde fédérale-provinciale, de tâcher, si vainement que ce soit, de rapatrier au profit des Québécois, tous les éléments nécessaires à leur survie et à leur développement.

— Vous avez fait adopter la loi 101 sur la francisation du Québec. D'autres lois ont été votées, ou vont l'être, qui transforment profondément la province dans les domaines du développement culturel, de la maîtrise des ressources naturelles, du financement des partis. Que restera-t-il finalement pour le référendum, une fois que tant de questions épineuses auront été résolues?

— Il restera tout, parce que changer de statut politique pour une société, c'est tout de même fondamental. Que nous y travaillions en cours de route me paraît tout à fait normal. Prenons par exemple le cas que vous avez cité, et qui a été l'exemple le plus dramatique de la première session du Parlement, où nous sommes majoritaires maintenant. Il n'a rien à voir avec une «salamisation» consciente et planifiée de l'option souveraineté-association. Nous avons été projetés dans ce problème linguistique par dix ans de précédents. Il ne faut pas oublier que dès 1966 ce problème a pris un tour aigre. Je me souviens que j'étais à ce moment-là député à l'Assemblée nationale, mais dans l'opposition. C'était dans les mois qui suivirent la défaite du gouvernement Lesage, dont je faisais partie. À ce moment-là, deux facteurs se sont plus ou moins conjugués dans la perception collective, et ont tout précipité soudain. Le premier a été la natalité, qui baissait dramatiquement depuis quelques années. Le second, c'était l'assimilation galopante des immigrants par la minorité anglophone. C'est à ce moment-là que fut créé un mini-ministère de l'Immigration à Québec, pour essayer d'avancer quelques éléments de réponse à cette question dont la préoccupation nous saisissait. Évidemment, les pouvoirs essentiels, dans ce domaine-là appartiennent toujours au fédéral.

— *Que comptez-vous faire, face aux problèmes de l'immigration?*

— L'immigration doit pouvoir être surveillée par la collectivité. C'est vital pour nous. Actuellement, mais c'était le cas traditionnellement depuis le siècle dernier, le régime fédéral, qui représente une majorité anglophone, poursuit, de façon un peu moins ouverte que dans le passé, une politique d'immigration axée sur le maintien d'une majorité anglophone, et autant que possible d'une majorité d'immigrants de racines anglo-saxonnes. Pendant des générations, le gouvernement fédéral a entretenu, aux dépens de tout le monde, y compris des Québécois, un réseau très articulé de bureaux d'immigration en Angleterre, en Écosse, en Irlande, alors qu'il n'y en eut jamais en France. Être souverain, c'est avoir dans ce secteur les pouvoirs normaux d'une collectivité nationale qui administre elle-même ses propres affaires, en fonction de son propre avenir.

— Ne valait-il pas mieux, sur la question épineuse et passionnelle de la langue, attendre le verdict du référendum ? Au lieu de cela, vous en avez fait un cheval de bataille, dès votre arrivée au pouvoir. La discussion sur la loi 101 a accaparé, durant les longs et précieux mois du début du mandat, l'attention et l'énergie de tout le Québec.

— Nous n'imaginons pas qu'une politique nataliste pourrait, à elle seule, répondre au problème de la diminution du nombre de francophones. Nous nous en sommes rendu compte à un signe. Pendant le même temps que baissait la natalité, comme je vous l'ai dit, l'assimilation des immigrants, ceux que l'on appelle couramment les néo-Canadiens ou les néo-Québécois, grandissait de façon dramatique. À peu près neuf sur dix des immigrants débarqués au Québec rejoignaient la communauté anglophone. Je ne parle pas de la communauté anglophone du Canada tout entier, mais de celle du Québec. La perception de cette situation, les sursauts et les réactions qu'elle a provoqués dans notre société, ont entraîné une prise en considération de ce problème culturel. Nous nous trouvions soudain exposés à devenir chaque jour moins nombreux, et un jour, qui sait, minoritaires. Des incidents assez graves éclatèrent dans la région de Montréal, où les questions de langue et d'assimilation se posent depuis toujours avec le plus d'acuité. Dix ans après, on parle encore des incidents de Saint-Léonard où vivent à peu près 50% d'Italiens et 50% de francophones. Des mouvements d'intégration scolaire sont apparus alors. Je n'étais pas d'accord avec leur radicalisme. Une série de projets de lois ont tenté de s'attaquer au problème par le biais de la politique linguistique. Le projet de Loi 63 a été voté. Mais cette loi a été «vomie» de façon unanime. C'était, il est vrai, une loi sans échine. Ensuite, le projet de Loi 85 a avorté. Enfin Robert Bourassa est arrivé. Pendant ces années au pouvoir, il a été l'artisan de la Loi 22, qui, elle aussi, a été honnie par une grande partie de la société francophone, peut-être avec quelque exagération. Le parti québécois a donc été amené, pendant la campagne électorale de l'an dernier, en raison de certaines convulsions qui se sont produites dans l'entourage de Robert Bourassa et des libéraux, et à la suite de toute une série d'improvisations faites en pleine campagne électorale, à promettre de faire quelque chose. Cela ne pouvait plus durer... Lors d'une première session «bouche-trou» qui eut lieu avant la fin de l'année 1977, nous avons dû prendre l'engagement, à peine un mois après notre arrivée au pouvoir, de régler cette question-là. Plusieurs cas pénibles étaient intervenus dans des écoles. Une espèce de contestation minoritaire s'organisait, qui rassemblait plusieurs petits groupes politiques. Donc, dix ans de tiraillements, d'efforts ratés nous ont littéralement plongés dans la nécessité de voter cette loi. Les Québécois refusent que le fait de parler français chez eux leur soit un handicap dans leur vie professionnelle ou une entrave à leur insertion dans le monde canadien. Ce que précisément leur a rappelé le conflit des pilotes d'avion canadiens qui ont refusé l'usage du français dans leurs conversations avec les tours de contrôle des aéroports du Québec.

— *Lors de la clôture du débat concernant la Loi 101 sur la langue, vous avez donné l'impression de n'être pas tout à fait satisfait...*

— Oui, je regrette qu'on ait pu penser que notre action en ce domaine était planifiée en vue d'amener les Québécois à avoir des dispositions plus favorables vis-à-vis du référendum. Mais c'est un problème vieux de dix ans sur lequel ont porté les efforts de trois législatives. À cause de ces soupçons, à cause du fossé qui existe au Québec entre la minorité anglophone et la majorité française, la discussion dans le pays et le débat à l'Assemblée se sont déroulés d'une façon que je trouve aujourd'hui encore très pénible. Tout l'*establishment* anglophone et toutes les forces d'opposition à cette loi avaient voté, dès novembre 1976 contre nous. Mais il reste que cette loi a durci leur position vis-à-vis de nous, et que le fossé s'est élargi avec les anglophones. Seul réconfort, après trois essais infructueux, pour la première fois, une loi linguistique semble avoir rejoint, pour l'essentiel, les aspirations de la majorité, qui est tout de même le peuple français du Québec. On n'a pas assisté à ces contre-manifestations, ces aigreurs ou même ces explosions qu'on avait vues lors de l'adoption des lois précédentes.

Pour ce qui est du débat, il est évident que tout ce qui touche de près ou de loin aux problèmes de la langue est du domaine des problèmes viscéraux. D'autant que, dans une société comme la nôtre, deux blocs de population ont toujours plus ou moins vécu comme deux solitudes à l'intérieur de la même maison, et que, de plus, l'un de ces blocs se prétend agressé. Je trouve personnellement que c'est à tort. Nous maintenons plus de privilèges et de droits — plus que pour aucune autre minorité au monde — pour nos concitoyens anglophones. Les anglophones se sentaient agressés cependant, et cela a pris une tournure désagréable, parfois même virulente. Cependant, le résultat me paraît bon pour l'avenir. C'est à l'usage que nous verrons. Dans notre contexte provincial, de toute façon, la question est réglée comme il fallait le faire. Une des raisons pour laquelle je rêve de la souveraineté politique, c'est justement de n'avoir plus à légiférer sur des questions qui devraient être claires comme l'air que l'on respire. La langue d'un peuple et son droit à l'utiliser ne devraient plus être protégés par des remparts de lois. Mais enfin, jusqu'à nouvel ordre, nous sommes obligés de passer par là.

— *Une loi qui, dans la pratique, radicalise l'obligation de la langue française et met au pied du mur le pouvoir fédéral d'Ottawa...*

— La question linguistique telle qu'elle se pose, surtout dans le domaine de l'enseignement, de l'entreprise et de l'Administration (les trois domaines dont la loi s'occupe), n'a rien à voir, à notre avis, avec une contestation du régime fédéral d'Ottawa. Elle fait partie de ce secteur de compétence qui appartient déjà à l'État provincial. Cela étant dit, il ne faut tout de même pas exclure que le gouvernement actuel fasse au moins autant d'efforts que les gouvernements qui l'ont précédé, pour maintenir ou élargir ces zones de compétence. Cela me paraît être courant dans tous les régimes fédéraux où se produit cette espèce d'affrontement entre le gouvernement fédéral et les gouvernements des États ou des provinces. Ce phénomène général est particulièrement aigu quand il y a deux entités culturelles ayant, l'une et l'autre, une perception de leur existence et une conscience nationale. Le Québec est une province isolée au milieu de neuf provinces, solidement et à jamais anglophones. Même au Nouveau-Brunswick, la province voisine qui compte la plus forte minorité de francophones, ceux-ci ne dépassent pas 35% de la population. Le Québec est seul en face d'un gouvernement fédéral qu'il ne contrôlera jamais, puisque, après tout, la majorité — je veux dire celle des anglophones — détermine les décisions du gouvernement fédéral. Il est donc inévitable qu'il y ait, en cours de route, et jusqu'au référendum, des moments où nous contesterons sur des points précis. Mais tout se dénouera au «grand soir» du référendum.

— *En somme, vous reprenez la formule de Gérald Godin: «Essayons de diversifier nos sources d'indépendance.» Mais en tentant de négocier dossier par dossier, vous inquiétez davantage ceux qui demandent le recours rapide à l'opération-vérité, c'est-à-dire le référendum.*

— Nous essaierons soit de maintenir, soit d'élargir les compétences provinciales, sans pour autant grignoter sur notre programme futur. Il ne sera pas question, évidemment, de laisser passer une belle

166

occasion de contester, si elle se présente... et Dieu sait qu'il y en a beaucoup! Mais nous ne fausserons pas les règles du jeu démocratique! Supposez que le référendum soit négatif vis-à-vis de notre option. Nous resterions donc provinciaux pour un certain nombre d'années. Je vous assure que nous ne nous pardonnerions pas de ne pas avoir multiplié le plus possible toutes les occasions de maintenir ou de développer les pouvoirs du Québec.

— *Mais à Ottawa, le fédéral finira par réagir?*

— Oh! pour réagir, il réagit! Il bouge même de façon assez cahoteuse, et même irrationnelle. On y multiplie les comités, si bien qu'il faudra bientôt avoir recours à un guide pour s'y retrouver! Je crois que les libéraux sont encore sous le coup d'une espèce de déséquilibre. La victoire du P.Q. a été traumatisante pour eux. Mais je suppose qu'ils s'organiseront bien quand les échéances s'approcheront, et ils feront légitimement ce qu'il faut pour défendre le régime auquel ils croient. En dehors de la question linguistique, qui se trouve déjà dans le bassin de la compétence provinciale, sur la base des règles actuelles du jeu, il restera d'abord et avant tout à changer le fait que la plus *grande* partie, la plus stratégique surtout, des impôts que nous payons s'en va à Ottawa alimenter les caisses d'un gouvernement qui reflète d'abord les besoins des neuf provinces anglophones. Sans doute cette majorité n'est-elle pas nécessairement opposée à nous, mais elle se sert presque toujours, et c'est logique, la première... pour assurer son déve-

loppement. Nos impôts vont-ils continuer encore longtemps à enrichir un autre gouvernement, ou resteront-
ils chez nous? Et nos circuits financiers, fondés sur
notre vieille tradition locale, représentée par les caisses
d'épargne, les banques à charte, par nos compagnies
d'assurances, qui sont avec les caisses de pensions
parmi les grands réservoirs de capitaux accumulés,
seront-ils encore longtemps manipulés aussi facilement en dehors de nous? Et le crédit qui en découle,
et l'épargne qui s'accumule, et les capitaux, conti-
nueront-ils à se former sous le contrôle de l'administration et de la législation fédérales, ce qui permet
de les investir souvent de façon tellement abusive
qu'elle constitue bien souvent une extorsion au développement du Québec? Il nous restera, après le référendum, à obtenir que, comme le Canada a pu le
faire à son échelle, nous puissions établir dans le
Québec des règlements qui permettront de canaliser
chez nous nos capitaux, notre épargne, pour qu'ils
servent au développement effectif du Québec. «Ce
qui est bon pour l'oie est bon pour le canard», dit
un vieux proverbe anglais.

Il s'agira également de maintenir notre équilibre
démographique, ce qui peut toujours nous échapper,
au moins partiellement, dans le régime actuel. Et
aurons-nous un jour le droit, normal pour un peuple,
de pouvoir, sans être manipulés et contrôlés par le
fédéral, entretenir les relations qui nous plaisent
avec qui nous plaît ailleurs dans le monde, en fonction de nos convergences naturelles et de nos propres
intérêts? Ou devrons-nous continuer d'avoir des
relations internationales balisées, comprimées, sou-

vent «mesquinées» par le pouvoir d'État qui appartient au fédéral?

— *De nombreux immigrants anglophones rappellent qu'ils ont choisi le Canada pour nouvelle patrie, même s'ils sont installés au Québec. Ils se plaignent que vous changiez soudain les règles du jeu en assurant une prédominance à la langue française.*

— Même le gouvernement Bourassa, qui fut particulièrement orthodoxe en ce qui concerne le *statu quo,* les institutions collectives, a légiféré lui aussi, à sa façon, sur la langue. La Loi 22 étageait les règles du jeu traditionnel, puisqu'elle établissait certains garde-fous contre l'assimilation galopante des immigrants. Jamais Bourassa n'a été soupçonné de vouloir changer les règles du jeu! Mais il faut bien dire que notre option politique provoque un procès d'intention chaque fois que nous tentons une action quelconque... L'exemple des Italiens, qui s'adaptent très vite à notre société, est d'ailleurs intéressant. Deux vagues d'immigration se sont succédées. Celle d'avant la guerre s'est assimilée à la société française du Québec. Après la guerre, en raison du développement continental qui depuis trente ou trente cinq ans a tendu à minoriser le Québec français, les Italiens du Québec se sont tournés vers nos voisins anglophones. Mais c'est une situation qui peut être renversée de nouveau, par l'exercice de notre souveraineté. Avec la Loi 101, il n'y aura plus de confusion possible pour les étrangers qui arrivent au Québec. Ils sauront qu'il s'agit d'un pays de langue française à part entière. Ils sauront que le français est la langue de travail, la langue d'administration. Ceux qui viendront sauront qu'ils doivent s'adapter le mieux possible à cette société-là. Finie cette ambiguïté, qui traîne depuis trop longtemps, de la Belle Province qui, bien que française, fait en même temps partie du Canada anglais...

Cinquième Partie

UN SENTIMENT D'URGENCE

— *L'arrivée du P.Q. au pouvoir n'a-t-elle pas été considérée comme un «virage à gauche» du Québec...*

— La souveraineté provoque dans les milieux d'affaires anglo-canadiens une émotivité certaine. C'est la réaction normale de la majorité dominante, qui s'indigne de cette contestation de ses droits et privilèges traditionnels. C'est une réaction souvent hargneuse, toujours plus ou moins concertée, en vue d'inquiéter économiquement le Québec. Mais il faut distinguer les cas des Américains, qui en ont vu bien d'autres dans d'autres pays, et qui ne sont pas impliqués dans ce complexe de supériorité menacée que les Anglo-Canadiens ressentent vivement. Les Anglo-Canadiens sont plus ou moins patrons traditionnels, mais de plus en plus sur le déclin. Les Américains ne sont pas forcément réjouis par la perspective de bouleversements au nord de la frontière, mais ils ne s'en émeuvent pas non plus outre mesure. Nous pouvons donc dire que nous ne voyons pas de représailles venant du côté américain, pourvu que tout se passe dans l'ordre.

Quand on sait que Pepsi-Cola est vendu jusque dans les pays de l'Est, que Fiat y construit des usines, *et cetera,* on se dit que, au delà de tous les «murs de Berlin», il existe une interpénétration des régimes au point de vue économique, même quand ils sont diamétralement opposés.

Qu'on se rassure! Nous ne sommes pas un Cuba en puissance, comme se complaisent à le faire croire nos plus farouches opposants! Ni non plus un Chili, d'ailleurs...

— *Dans l'immense bouillonnement qui touche toute la société québécoise, à quoi êtes-vous plutôt sensible?*

— Les problèmes socio-économiques de notre époque n'ont pas forcément tous un rapport direct avec l'économie. Ils dépendent aussi de l'évolution vertigineuse des rapports sociaux et de la recherche de la qualité de la vie. Des exigences nouvelles se profilent à l'horizon, et je ne crois pas que le Québec soit tellement différent des autres pays sur ce point. Mais au Québec plus qu'ailleurs, la démocratisation galopante de l'enseignement, l'accessibilité aux études secondaires d'abord, puis collégiales, enfin universitaires, s'est faite de façon extraordinairement rapide, car nous avions beaucoup de retard à rattraper. Cela a multiplié incroyablement le nombre des diplômés, le nombre de ceux qui se considèrent comme des cadres, même s'ils ne disposent pas toujours de possibilités d'emploi ou d'avancement. Ce phénomène crée des complications sérieuses dans notre société, et aussi des tensions. Notamment pour la participation des travailleurs à toutes les décisions fondamentales de l'entreprise. Un changement de société passe donc, pour le monde du travail, par une part de réorganisation, une part aussi de réajustement mental, du côté des syndicats. Dans l'entreprise aussi, des tensions existent. Les employés, les cadres des jeunes générations, dans le courant de cette démocratisation qui a parcouru l'éducation, et qui aujourd'hui touche à l'entreprise, n'acceptent plus le droit divin, ou ce qu'il en reste, des patrons. Et si l'on ne veut pas tomber dans l'improvisation et dans la «lubie de l'autogestion universelle», il faut réfléchir à un ajustement vers une démocratisation plus large de la vie interne des entreprises.

— *Vous faites souvent référence, pour exalter les Québécois, à ses valeurs de petit peuple survivant, différent. Cela agace les nouveaux immigrants, dont certains commencent à parler de «racisme québécois».*

— Un des meilleurs tests de notre position, c'est d'examiner notre attitude face aux Juifs. La communauté israélite est très importante au Québec, où elle est surtout centrée à Montréal, et cela ne date pas d'hier. Je crois que les premiers Juifs arrivés au Québec sont venus dans les fourgons de l'armée conquérante de Wolfe au XVIIIe siècle. L'Ancien Régime français était assez hostile aux Juifs à cette époque. Or, vous saurez peut-être avec surprise que le premier député juif qui ait été élu au Canada l'a été au Québec, à l'Assemblée législative, comme on l'appelait autrefois, et par la région de Trois-Rivières. Une région plus intimement française, cela ne se trouve pas! Il s'appelait Ezéchiel Hart. Contesté par les anglo-

173

phones du Québec de cette époque-là, il dut se faire reconfirmer par une seconde élection. Cela ne fit qu'affermir la décision première de ses électeurs, et il fut bel et bien réélu. On peut d'ailleurs remarquer, à propos de la communauté juive, que leurs grands succès d'affaires sont tous axés sur les commerces de produits de consommation courante. C'est le cas pour l'épicerie, où les chaînes des magasins Steinberg appartiennent à des citoyens de confession juive. Et tout ce qui touche à la consommation massive concerne au Québec 80% des francophones. (On peut dire que c'est un secteur d'intérêt collectif, et qu'il appartient pourtant en grande partie, et sans histoires, à des représentants de la communauté juive.) Tandis que les secteurs contrôlés par nos amis anglophones, et qu'ils contrôlent encore excessivement, sont tous les secteurs financiers. C'est la que, si vous grattez un peu, vous découvrirez que le racisme courtois de salon règne. Je ne sais pas trop pourquoi on nous accuse de racisme, car cela n'a jamais été dans les cordes des Québécois!

Le Québec français est une société qui est d'instinct aussi ouverte que n'importe quelle autre au monde. C'est assez conforme à une certaine tradition ancestrale de coureurs des bois. Notre histoire est faite d'ouvertures, notamment vers les Indiens. Aujourd'hui, quand on fouille un peu le passé, chacun est très fier, chaque fois qu'il en a l'occasion, de dire qu'il a du sang indien. Le fait est que 40% à 45% des Québécois francophones ont du sang indien. Ce qui signifie bien qu'ils furent une des communautés blanches du continent qui ont le mieux, ou le plus, accepté de se mêler aux autres, ce qui n'est guère courant dans la tradition nord-américaine. Cette espèce de coexistence relativement harmonieuse avec les premiers possesseurs de ce sol, c'est-à-dire les Indiens, a toujours existé, bien que sans doute avec des moments de friction.

Mais je peux aussi reconnaître volontiers qu'il y eut, à certains moments de notre passé, des sentiments presque hargneux à l'encontre des nouveaux arrivants. Il ne faut pas oublier que nous sommes toujours restés une communauté minoritaire, qui est demeurée rurale pendant très longtemps, ce qui implique toujours un rien de méfiance. Notre société gardait toujours l'amertume d'avoir été conquise, donc d'avoir été possédée par les autres. À certains moments difficiles traversés par notre économie — je fais allusion aux années de la Grande Dépression —, certains comportements ont pu effectivement être hargneux ou négatifs vis-à-vis des autres. Je me souviens, par exemple, d'un slogan qui revenait très souvent à cette époque-là — mais on peut aussi ajouter qu'on ne l'entendait pas uniquement chez nous —, et qui était: «À bas les étrangers, ils viennent prendre nos emplois!»

Je n'ai jamais senti que cela puisse être du racisme, au sens précis du mot, du rejet des autres parce qu'ils sont différents. Vouloir freiner l'arrivée des étrangers pour raisons économiques, ce n'est pas du racisme. Qu'ils soient blancs, noirs ou jaunes, qu'ils soient catholiques, protestants ou juifs, n'a rien à voir avec cette revendication de sauvegarde de l'emploi quand il est menacé. C'est sans doute une réaction peut-être excessive par rapport aux difficultés économiques. Mais, je le répète, cette négation de l'autre parce qu'il est différent n'a jamais été ressentie au Québec! Je peux même citer un exemple flagrant: nous sommes sans doute la première province où un immigrant, relativement frais émoulu, a été élu député à l'Assemblée nationale par un comté francophone. Il s'agit d'un Haïtien, M. Jean Alfred, enseignant et marié à une Québécoise de naissance. Nous avons aussi quelques maires ou conseillers de municipalités importantes, dans des régions francophones, qui sont des hommes de couleur.

— *Tous les sondages indiquent que la jeune génération croit à votre option. Vous reconnaissez-vous dans ces jeunes Québécois?*

— D'abord, il faut établir une distinction, au delà des schémas universels qui définissent le «jeune» aujourd'hui. Un adolescent est un adolescent partout. À certains points de vue, il est passablement le même sous toutes les latitudes. Au delà des caractères universels, il faut distinguer, à l'intérieur du Québec, entre la jeunesse anglophone et la jeunesse francophone. Du côté anglophone, la plupart des jeunes sont encore imprégnés, comme leurs parents, de la dimension canadienne. Ils ont des réactions assez négatives vis-à-vis de tout mouvement d'affirmation, d'émancipation, de promotion collective du Québec français. Mais ils représentent seulement 15 à 20% de l'ensemble de la jeunesse du Québec.

176

La jeunesse a plutôt comme règle générale de participer au mouvement nationaliste québécois et à l'affirmation du peuple français du Québec. Ils attendent avec impatience cette libération. On a l'impression qu'ils vivent déjà dans un Québec souverain, ce qui explique les difficultés que nous avons parfois à les faire travailler sur des projets qui sont surtout des étapes vers la souveraineté, mais seulement des étapes. Ces jeunes disent qu'ils sont francophones, qu'ils sont chez eux. Leur impatience, le sentiment erroné qu'ils sont déjà souverains nous imposent d'aller vite. Mais, à l'inverse, le fait que cette jeunesse baigne dans un climat qui est celui de l'affirmation du Québec français est un des éléments fondamentaux de nos espérances. Ils sont, dans leur ensemble, parfaitement cohérents, et quand vient le moment de voter, on peut, par recoupements, estimer que plus de 75% de ces jeunes gens choisissent nos options. Néanmoins, cette jeunesse québécoise, anglophones et francophones confondus, est une jeunesse nord-américaine. Ces jeunes sont vraiment les produits de la société américaine pour la consommation, le tourisme, l'éducation. Nous nous appuyons sur cette jeune génération. C'est inévitable. Sinon, cela signifierait qu'on s'appuie davantage sur le passé que sur l'avenir. Tels qu'ils sont, avec leurs défauts et leurs qualités, ils sont déjà le présent. Cela me rend très confiant pour l'avenir, car cette mentalité nord-américaine se nourrit de l'espoir de possibilités d'avancement rapide et de maturation accélérée.

*— Précisément parce qu'ils sont déjà le présent, ne pensez-vous pas que ces jeunes joueront bientôt un rôle d'*establishment?

— Si peu qu'on avance dans la vie, on devient toujours partie d'un *establishment* quelque part! Mais il est vrai que cela peut venir ici plus rapidement qu'ailleurs. Contrairement aux pays européens, où il faut gravir tous les échelons d'une carrière, au Québec on peut arriver plus vite et plus directement au poste, de façon moins planifiée, moins linéaire.

— Déjà, on perçoit dans le mouvement vers l'indépendance une hâte de certains Québécois à prendre la place des Anglo-Canadiens ou de ceux qui sont favorables au fédéralisme. Ne craignez-vous pas une chasse aux sorcières inopportune?

— Entendons-nous. Dans toute société en voie d'auto-affirmation, il y a une poussée des élites, qui se sont multipliées depuis quinze ou vingt ans, et dont le potentiel, par conséquent, est de plus en plus perceptible. Ces cadres se heurtent au mur que constitue l'occupation permanente de nombreux postes par des intérêts minoritaires mais dominants. Toute histoire d'émancipation est faite d'une certaine poussée des élites. Mêmes les révolutions ont toujours été commencées par des bourgeois. Pourquoi les Québécois seraient-ils plus angéliques que les autres? Qu'une certaine élite pense occuper les postes qu'elle estime lui revenir me paraît tout à fait normal. L'ambition, à ce niveau-là, qu'elle soit celle d'un individu ou celle d'un groupe, me paraît être ce qu'il y a de plus légitime. Elle ne prétend pas faire du tort aux autres, dans leur pays. Elle dit simplement: cessez de nous en faire, chez nous!

— *Mais un Québec souverain dispose-t-il de tous les cadres nécessaires?*

— Pour ce qui est des cadres compétents, il y en a eu, à partir des ébauches politiques du XVIIIe siècle, avant même la Confédération, et depuis, avec notre statut de demi-État, de province. Nous avons plus de cent ans de tradition dans nombre de secteurs: l'éducation, les questions législatives et l'administration publique, et aussi dans des secteurs qui ont pris une importance de plus en plus grande à notre époque, comme tout ce qui, de près ou de loin, touche à la sécurité sociale (encore que beaucoup de contrôles restent actuellement sous la tutelle fédérale). Même remarque pour ce qui est de l'aménagement du territoire: là encore, nous nous heurtons à toutes sortes d'empiètements, de porte-à-faux avec le fédéral, et nous ne pouvons toucher à rien de ce qui concerne les ports de mer, les aéroports, le chemin de fer, ni à leurs employés, car c'est fédéral. Ce qui provoque une distorsion absolument aberrante et souvent absurde dans l'équilibre de l'aménagement des infrastructures dans le territoire. Mais enfin, pour ce qui est de l'équilibre à établir entre l'urbanisation, la protection des zones rurales, l'aménagement urbain ou la densification, toute une expérience a été accumulée, qui est prête. Il faut ajouter que nous avions un retard énorme dans bien des domaines. Nous avons dû faire des efforts gigantesques en

179

adoptant des solutions de rattrapage. Ce rattrapage ne sera jamais total, mais l'effort d'éducation et de promotion reste, selon les estimations de l'U.N.E.S.-C.O., le plus efficace et le plus spectaculaire fourni par une société occidentale.

Nous avions, en 1968-1969, 52 000 inscriptions dans notre réseau universitaire. Ce chiffre a été doublé et porté à 96 000 en 1975-1976. Avec, nous le savons, tous les dangers que peut amener cette multiplication intensive, mais aussi avec toutes les retombées valables de ce développement de l'éducation. Des élites de plus en plus nombreuses émergent, qui encadrent peu à peu la société, aussi bien et, en tout cas, pas plus mal que les autres le feraient à notre place. Un certain nombre d'institutions se dégage dont l'excellence commence à être reconnue à l'extérieur. Nous possédons, par exemple, certainement une des meilleures écoles d'administration de l'Amérique du Nord, l'École des hautes études commerciales, dont la renommée a largement dépassé le continent. Notre École polytechnique compte, elle aussi, parmi les plus cotées. Seul vrai grand retard que nous nous efforçons de réduire: les centres de recherches. Toutes ces lacunes n'empêchent pas que nous sommes sûrs de pouvoir faire face à tous nos besoins de cadres, de compétences. Il nous faut absolument nous débarrasser d'un vieux reste de complexe d'infériorité, qui nous vient d'une trop longue histoire coloniale, et, dans le domaine économique et administratif, d'une trop longue période pendant laquelle nous fûmes systématiquement écartés des leviers de commande. En voici un exemple:

180

Au moment où nous avons créé la Caisse des dépôts et placements (en 1965-1966, sous le gouvernement Lesage, dont je faisais partie), une liste de candidats à la présidence de ce nouvel organisme, qui allait devenir très rapidement un investisseur de plusieurs milliards de dollars, nous fut soumise. Parmi les candidats suggérés, il y avait un des vice-présidents d'une grande société d'assurances qui s'appelle Sun Life. C'était un Québécois francophone. Il connaissait admirablement la question. Et il mit l'entreprise en marche d'une façon remarquable. Quand cette suggestion de candidature fut posée au Conseil des ministres, je me souviens que nous nous sommes demandé avec angoisse qui était cet obscur vice-président, s'il avait bien les capacités nécessaires pour aller plus loin dans Sun Life, la société qui l'employait, ou s'il était simplement collé à ce niveau parce qu'il était francophone? Autant de questions qui découlaient de notre statut collectif. Il nous a fallu trancher dans cette incertitude. La suite nous a démontré que nous avions eu raison de lui faire confiance. La façon dont la Caisse des dépôts s'est développée, sans aucune erreur grave pendant sa période de gestation et de lancement, a montré qu'il aurait fort bien pu être le président de la Sun Life et de quelques autres compagnies en même temps, car aujourd'hui la Caisse des dépôts pourrait en absorber plus d'une.

— *Constatez-vous un phénomène de départ des nouvelles élites du Québec?*

— Non, du côté des universités francophones, nous ne constatons rien de semblable. Les Québécois restent au pays. Mais ce phénomène existe dans les universités anglophones, largement subventionnées à 80% par les fonds publics. À l'Université McGill, qui est en déclin relatif, 50% et plus d'étudiants de certaines facultés coûteuses, comme celle de médecine, à cause des équipements, viennent du Canada anglais, des États-Unis ou de l'étranger. Nous en parlons parfois avec ironie. McGill est devenue une sorte de grande université du Commonwealth anglophone. Mais elle est, dans le fond, québécoise à 80% pour ses crédits. Il ne s'agit pas de devenir un ghetto, ni de se fermer à l'étranger, mais de là à former des médecins, des dentistes pour nos amis américains, qui sont plus riches que nous, cela ne pourra certes pas durer éternellement.

— *Quel est votre modèle d'homme politique?*

— Pas plus qu'à un modèle de société, je ne crois à un modèle d'homme politique. Quand on est dans l'action gouvernementale, on doit s'alimenter partout, et ne pas s'imaginer qu'on puisse trouver des modèles!

J'ai toujours préféré Roosevelt, qui a été à mon sens un très grand Président des États-Unis. Napoléon, bien sûr, je le trouvais fascinant quand j'étais tout jeune collégien. Mais à cet âge on rêve souvent de devenir un conquérant! Quand j'ai découvert les crimes et les rapines accumulés pendant les années

182

du Consulat et de l'Empire, j'ai été quelque peu re
froidi à l'égard de Napoléon.

Il demeure que Roosevelt, comme animateur du
peuple américain, et à l'occasion comme praticien
assez cynique de la politique, est une figure extraordinaire du XXe siècle. J'ajouterai sans la moindre
hésitation, mais c'est évidemment plus récent, Charles de Gaulle, par ses larges aspirations, et aussi par
ses excès grandioses, notamment quand il prétendait,
pendant la guerre, incarner à lui seul tout un peuple.

Et puis, depuis que j'ai connu le pouvoir, que j'y
ai perdu un certain nombre de mes illusions, c'est
plutôt de J.F. Kennedy, que je me sens proche (ou
encore du théoricien socialiste Antonio Gramsci),
parce que le plus difficile pour un homme politique
est de garder son idéal tout en perdant toutes ses
illusions.

— *Quel est votre modèle d'organisation de l'économie?*

— Le parti québécois a publié, en 1972, un manifeste: *Quand nous serons vraiment chez nous.* Ce
manifeste, qui garde toute son actualité, réserve une
grande place aux questions économiques et à leurs
retombées sociales. Il se présente comme la justification la plus valable de la souveraineté politique
que nous revendiquons. Justification aussi de notre
hypothèse d'association avec le Canada. Trois
constatations. D'abord cette économie est vieillie dans plusieurs de ses secteurs vitaux. Ensuite,

cette économie est mal équilibrée. Elle n'a absorbé qu'en partie les grandes vagues de l'industrialisation du XXᵉ siècle. La sidérurgie ou la construction mécanique s'y sont développées tardivement et de façon partielle. C'est aussi une économie trop étrangère à la société québécoise. Nous avons trop peu d'entrepreneurs locaux. Les centres de décision sont situés à l'extérieur de notre société, dans la caste canadienne-anglaise installée à Montréal et, actuellement, les intérêts américains sont gérés au Canada par des cadres issus de ce groupe anglophone. Une mentalité de dépendance s'est développée. Les gouvernements provinciaux, nos «rois nègres», ont souvent refusé de prendre toute initiative qui pourrait mater, si peu que ce soit, les intérêts étrangers. Et le gouvernement fédéral a accentué ce sentiment d'impuissance en multipliant les régimes de subventions sociales, au lieu de développer une économie de responsabilité, comme c'est le cas en Ontario et dans l'Ouest.

Nous refusons de suivre les maximalistes, qui aimeraient s'engager dans une voie révolutionnaire. Contrairement à ce qu'ils disent, la souveraineté n'est pas un objectif «petit-bourgeois», la modernisation du gouvernement n'annonce pas une forme de capitalisme d'État. Objectivement, si nous allions dans leur sens, nous nous émietterions en chapelles condamnées à l'impuissance et garantes du *statu quo*. Nous ne devons jamais oublier que le Québec a besoin d'apprendre, comme la plupart des peuples modernes, que la rationalité et la force des gouvernements sont encore à la source du développement. La vigueur

n'exclut pas la lucidité. Entre la révolution autoges-
tionnaire et le «gradualisme» de ceux qui au fond ne
veulent rien changer d'important, il y a place pour
un radicalisme doublé de réalisme. Le Québec a assez
d'épargne et assez d'hommes compétents pour réduire le chômage, élever le niveau de vie et pratiquer
le développement régional.

— *Pourriez-vous définir la «social-démocratie»
telle que vous l'entendez?*

— On ne souligne pas assez que la «social-démocratie» a mis un siècle pour atteindre le «modèle
suédois», qui d'ailleurs est maintenant contesté,
puisqu'il y a eu des changements électoraux récemment, avec le remplacement de M. Olaf Palme. La
social-démocratie à l'anglaise, quand, au lendemain
de la guerre en 1945, Churchill a été «débarqué» par
l'électorat et qu'elle l'emporta, c'est encore autre
chose, qui est également bien différent du régime
économico-social allemand.

La social-démocratie a beau être assez compa-
rablement partout un moment de l'évolution d'un
pays, il demeure que l'histoire de la Suède, de l'Angleterre, de l'Allemagne fédérale ne ressemble en rien
à la nôtre. Notre «social-démocratie» sera québécoise
ou ne sera pas.

Il nous faut traduire en projets ce à quoi nous
tenons le plus, c'est-à-dire en tout premier lieu l'égalité des chances pour tous. Ce qui implique beaucoup
de réajustements qui ne pourront pas se faire du jour
au lendemain.

185

Autre élément de notre modèle: la question de l'écart des revenus. Nous n'avons pas encore les moyens, en tant qu'État provincial, de pouvoir réduire sérieusement les écarts de revenus. Je ne crois d'ailleurs pas que l'égalité totale soit concevable dans ce domaine. Nous aurions alors une société qui n'aurait plus d'aiguillon. Même les régimes les plus dogmatiquement socialistes ont dû creuser les écarts entre les salaires pour créer des motivations. Le Canada et le Québec ne se situent pas dans les pays où les écarts sont les plus grands, mais il reste néanmoins beaucoup à faire dans ce domaine précis. Troisième élément qui me tient à coeur: la participation du citoyen, une participation que nous souhaitons la plus large possible, et qui sorte des mots et des phrases creuses pour entrer concrètement dans la réalité de la vie des gens. Cela impliquera pour nous, comme partout ailleurs, mais surtout pour nous, à cause des dimensions du territoire, une décentralisation réelle.

Il ne suffira pas de «déconcentrer», comme on dit dans le jargon traditionnel, en installant des fonctionnaires locaux. Il s'agira d'arriver à une décentralisation effective, c'est-à-dire à accorder les responsabilités en les accompagnant d'un budget. Au niveau local, au niveau régional, il faudra que le citoyen vérifie du plus près possible ceux qui ont la charge des budgets et la responsabilité des services. C'est un de nos grands desseins, parmi les plus délicats certainement, et que nous essayons de poursuivre aujourd'hui. Notre territoire et l'éparpillement de la population donnent un caractère d'urgence à cette préoccupation essentielle à nos yeux, la responsabilité des citoyens. Le citoyen doit pouvoir intervenir dans ses propres affaires. Ce qui impliquera, par voie de conséquence, le droit des travailleurs de participer à la décision concernant leur vie dans l'entreprise, leurs conditions de travail. Ce sont des expériences qui ont déjà été vécues dans certains pays, et surtout en Scandinavie.

— C'est le capitalisme à la suédoise qui exerce sur vous une attirance incontestable...

— L'expérience suédoise exerce sans doute sur nous une certaine attirance, parce que c'est un peuple du Nord, dont la situation est assez comparable à la nôtre du point de vue de la population, du climat, des ressources de base. Mais il ne faut pas pousser trop loin cette correspondance un peu facile. La Suède a une expérience de cinquante ans dans la formation de son modèle de social-démocratie, auquel elle vient d'appliquer les freins peut-être temporairement.

Sans se couper d'inspirations utiles, y compris celle de la Suède, le Québec doit trouver sa voie propre. Sur un continent qui est encore la Mecque du capitalisme dans le monde, mais qui a trouvé le moyen de l'assouplir plus vite et davantage que n'importe où ailleurs (je ne veux pas dire que c'est devenu le paradis), où et comment nous situerons-nous? C'est là que le «gradualisme» entre en ligne de compte. Nos exportations principales se font sur le marché nord-américain, une partie essentielle de nos importations provient de la machine de production américaine, et les marchés de capitaux, dont nous ne pouvons pas nous couper, se trouvent à New York, à Chicago, en Europe aussi de plus en plus. Mais ce réseau d'interrelations est en flux constant, et nous devons maintenir certaines de ces attaches continentales qui nous sont essentielles. Nous ne pouvons pas, quoi qu'il advienne, rompre avec le contexte et les mentalités américaines. Mais notre projet mènera à tout autre chose que ce qu'on appelle trop facilement le «néo-capitalisme». Par quelles étapes? Par quels changements? Nous verrons bien. Je suis très confiant dans la capacité d'évolution d'une société comme le Québec. Évolution vers son modèle à elle, que nous baptiserons plus tard. L'étiquette «social-démocratie» qui nous a été plaquée nous convient parfaitement pour l'instant, à condition de lui donner notre propre définition.

— *Vous n'êtes pas Castro, et le Québec n'est pas Cuba, mais ne craignez-vous pas tout de même le boycottage par certains, de ce Québec nouveau?*

— La social-démocratie, en économie, c'est un certain étapisme dans les exigences, et qui comporte l'acceptation de vivre avec les autres. Et en Amérique du Nord, nous savons bien ce que cela veut dire.

Les intérêts étrangers, pour autant qu'ils participent au développement du Québec, ne viennent pas ici pour nos beaux yeux et pour nous aider à survivre, mais ils viennent ici parce que c'est profitable, parce que c'est rentable. Aujourd'hui et sans doute demain. Car il est des domaines où il n'est pas possible de trouver de substituts. C'est le cas pour l'amiante où nous restons extraordinairement présents comme exportateurs. C'est le cas pour les pâtes à papier nécessaires aux énormes appétits du *New York Times,* du *Chicago Tribune,* et qui sont traités directement par des usines verticalement intégrées aux empires de presse, et qui emprisonnent ce marché. Là encore, je ne vois pas de substituts dans l'immédiat. Même chose pour le minerai de fer, qui demeure parmi les ressources les plus accessibles, les plus sûres et pratiquement inépuisables du Québec, même si depuis certains progrès techniques des années 50 le fer est très répandu dans le monde.

Les investisseurs ne boudent jamais la rentabilité, quand les conditions politiques leur permettent, même très difficilement, de continuer d'exploiter leurs affaires.

Même si nous ne sommes pas satisfaits de l'équilibre de notre développement économique, le Québec et ses six millions d'habitants se trouvent néanmoins parmi les détenteurs du plus haut niveau de vie mondial. Le marché d'une ville comme Montréal représente un bassin de consommation si intensive qu'il doit nécessairement être desservi. Et celui qui se risquerait à le boycotter se verrait remplacé sans peine. Tous les investisseurs savent cela.

— *Quel pourrait être le rythme d'évolution vers ce nouveau régime?*

— La démocratie, telle que je la conçois, doit respecter la capacité d'évolution de la société. Sans doute il ne faut pas se servir de cet argument pour masquer une sorte de prudence timorée, pour retarder les décisions et les changements qui s'imposent. Nous devons «sonner» un peu la société, pour qu'elle arrive, d'étape en étape, à se rapprocher de ces objectifs. Mais tout doit s'accompagner d'une sorte de respect constant, et cela nécessite qu'on soit proche de sa société, qu'on y baigne et que le pouvoir ne nous coupe pas des citoyens.

Respecter les limites d'absorption des réformes et des changements, rester respectueux des règles et des lois de la démocratie, voilà ce que nous essaierons de ne jamais oublier.

— *Comment le Québec a-t-il pu sauver sa spécificité, à côté de son voisin les États-Unis?*

— Pour nous, la colonisation a commencé par une conquête militaire à la fin de la Guerre de Sept Ans au XVIIIe siècle, et qui s'est très vite enchaînée à la guerre d'Indépendance des États-Unis. L'Angleterre était alors aux prises à la fois avec une nouvelle colonie, numériquement insignifiante, de 60 000 à 70 000 colons français, et avec sa colonie privilégiée, cet autre soi-même, c'est-à-dire les États de la Nouvelle-Angleterre, les treize futurs États de l'indépendance. À mesure que les événements se déroulaient, l'Angleterre, de plus en plus paniquée, se disait qu'il lui fallait ménager ses arrières. Tout cela s'est passé en moins de quinze ans: de 1760-1763 à 1774-1775. En 1774, l'Angleterre fut amenée à accorder des droits qui peuvent paraître extravagants pour des gens fraîchement conquis. Cela s'est appelé l'Acte de Québec de 1774. L'Angleterre concédait le droit d'utilisation du français au Québec, l'usage du Code civil français, et toute une série de droits qui s'articulaient en une reconnaissance de droits fondamentaux, y compris dans le domaine religieux. Cet Acte de Québec eût été absolument inattendu sans des circonstances particulières: l'Angleterre était à la veille d'une guerre avec les États de la Nouvelle-Angleterre. C'était bien une assurance que prirent aussi les Anglais à cette époque. Ces accords correspondaient tout à fait à notre société de l'Ancien Régime, qui avait encore, très profondément ancrée en elle, cette méfiance des mots «démocratie» et «république», qui arrivaient de ses voisins américains.

Donc, avec l'Acte de Québec, qui garantissait à notre société plusieurs droits fondamentaux, notre colonisation commença sous des auspices extrêmement favorables. Et le régime anglais a ainsi conservé chez nous pendant très longtemps une image protectrice. Cela n'a pas pu empêcher, comme on pouvait s'y attendre, la prise en main normale de notre société par des intérêts conquérants, notamment dans les domaines économiques. Un exemple concret: la traite des fourrures, avec deux ou trois autres productions très primaires, dont le bois, était entre les mains des francophones, et les courants d'échange se faisaient avec la métropole française. La conquête intervenant, la traite des fourrures fut immédiatement monopolisée par les agents de l'armée conquérante — c'est toujours ce qui se passe. Ce fut le cas pour un certain McGill, qui était ingénieux, comme le sont souvent les Écossais, ces éternels entrepreneurs, et qui sont parmi les plus brillants banquiers. Cet Écossais, McGill, devenu le roi de la fourrure, créa une fondation sur sa fortune personnelle. Et dès les années 1820, s'ouvrit à Montréal une université anglaise, alors que la première, très pauvre et très humble université a émergé à Québec sous le nom d'université Laval, issue du vieux séminaire de Québec, seulement au milieu du XIXe siècle. Cela illustre donc parfaitement la colonisation étrangère. D'autre part, à l'endroit du Québec français, des ressentiments sont nés dans cette société anglophone, profondément liée à l'Empire britannique, et qui n'avait pas tout à fait oublié ses vieilles rancunes à l'égard de Napoléon et même de la guerre de Sept Ans. Ce fut réciproque du côté français. Deux solitudes s'interpénètrent difficilement.

— *Le rouleau compresseur des États-Unis a déjà intégré de nombreux pays dans le système. Avez-vous bien tous les atouts de votre politique d'indépendance? N'y a-t-il pas un risque que votre évolution vers la souveraineté soit manquée?*

— Il y a toujours des risques. L'histoire est parsemée de risques. Mais ce climat général de prise ou de reprise de conscience d'un peuple est loin d'exister seulement au Québec. Pensez par exemple aux Écossais, ou à ce qui se passe chez les Wallons, ou encore aux Slovaques face aux Tchèques.

À l'échelle mondiale, je suis fédéraliste. Pourquoi? Mais c'est très simple. Si l'on ne réussit pas un jour à éliminer deux des «cavaliers de l'Apocalypse», c'est-à-dire la guerre et la faim, j'ai l'impression que nous allons connaître des convulsions. Ces périodes chaotiques pourraient être évitées si nous adoptions les éléments d'un mini-fédéralisme. Il faut que la société internationale arrive à arracher les griffes aux gros et aux fauves, pour laisser respirer les autres. Il me semble que ce courant doit vraiment être accentué. Il se dessine à l'échelle du monde.

Mais à côté de ce phénomène de décolonisation, on voit apparaître une sorte de résurgence dans toutes les sociétés culturelles constituées, dans celles au moins qui ont la moindre chance de se donner une armature politique, celles qui ont leur langue, leur identité, leurs traditions, une patrie, c'est-à-dire un sol où elles plongent leurs racines et l'espoir dans un avenir meilleur. Ce réveil est quasi universel, partout où une chance, si petite soit-elle, existe de s'identifier un peu plus précisément qu'auparavant. Chaque peuple voudrait, autant que faire se peut, se différencier, justement parce que, dans ce courant plus ou moins homogénéisant qui parcourt le monde, et qui est accentué par des facteurs techniques et économiques, chaque identité sent le besoin de s'affirmer pour éviter de disparaître. On peut très bien adopter un fédéralisme minimal à l'échelle du monde, tout en étant extrêmement nationaliste. Nationaliste au sens de la souveraineté nationale, de l'affirmation de l'identité.

— Vous essayez d'aménager le dialogue avec les citoyens. Cet effort ne vous est-il pas imposé parce que votre gouvernement est composé pour l'essentiel de techniciens, d'intellectuels, de membres de professions libérales?

— Il y a beaucoup plus d'intellectuels que dans les gouvernements qui nous ont précédés. C'est vrai pour le parti québécois, comme tous les sondages et les rapports internes le prouvent. Le parti québécois a recruté une portion très importante, presque disproportionnée, de citoyens qui sont allés jusqu'à des diplômes supérieurs. Mais cela n'a pas empêché sa base de s'élargir d'année en année, depuis dix ans. Les élections de 1976 l'ont prouvé, le P.Q. recueille plus de 41% du vote total, donc une majorité du vote francophone, puisque les 20% d'anglophones ne sont pas particulièrement favorables à notre programme. Il est donc évident que le parti commence à avoir des racines dans tous les milieux. Ce n'est ni une tour d'ivoire ni une chapelle de l'intelligentsia. La présence d'«intellectuels» est évidente, néanmoins, dans une bonne partie de la députation actuelle. Mais si vous comparez avec les précédents gouvernements, vous pourrez remarquer qu'on y trouvait également en grand nombre des gens qui étaient des anciennes ou nouvelles élites, avocats, médecins, professeurs ou fonctionnaires de l'administration. C'est peut-être un peu plus marqué dans notre cas, mais on n'est pas rendu au point qu'il faille les considérer comme un corps étranger.

*— N'allez-vous pas, au fil du temps, et en raison des urgences, apparaître comme une espèce d'*establishment, *et vous couper de votre parti ?*

— C'est toujours le risque auquel un gouvernement raisonnablement démocratique peut difficilement échapper. On finit toujours par devenir, un beau jour, un peu trop *establishment,* et donc on se coupe des réalités. Mais Napoléon disait, je crois: «Les faits sont têtus.» Et si un jour on passe à côté sans les voir, car le pouvoir entraîne fatalement à vouloir masquer certaines carences, certaines lacunes, cela ne nous est jamais pardonné. Et voilà pourquoi les gouvernements changent. Il faut, pour retarder une telle éventualité, rester ouverts, et pratiquer une politique de présence... Nos patrons sont les citoyens. Il faut, par des tournées, des visites impromptues, garder cette présence physique constante. J'ai demandé à tous les députés, et donc à tous les ministres, que nous séjournions chacun au moins deux fois dans l'année, de façon systématique, dans nos comtés, un certain nombre de jours pendant les intersessions. De plus, j'ai demandé que les ministres, cette fois comme représentants du gouvernement, prennent part à des tournées qui, celles-là, ne seraient pas partisanes et n'auraient rien à voir avec la propagande, mais qui seraient bel et bien des tournées pour faire des rapports d'étape. Cela pourrait avoir lieu tous les six mois environ. Il serait dit et expliqué aux gens ce que nous faisons, ce qui est en marche, ce qui se prépare. Les citoyens pourraient également nous parler des questions sur lesquelles ils ne sont pas d'accord, nous soumettre des idées, des revendications. En somme, je crois au dialogue constant avec la population.

— *Comment fonctionnent les relations entre le P.Q., qui, comme tout parti, peut avoir des positions maximalistes, et le gouvernement, qui, comme tout exécutif, doit tenir compte des réalités?*

— Il est toujours compliqué de maintenir un équilibre dans les relations entre le parti militant et le gouvernement, c'est-à-dire entre le conseil des députés, le Conseil des ministres et ceux qui sont chargés de l'administration. Équilibre d'autant plus délicat à trouver qu'il s'agit d'un parti... disons de gauche, de centre gauche en tout cas...

Notre parti est attaché à la discussion démocratique, à la démocratie interne, à la contestation, et même à la dissidence, quand cela paraît indiqué. Tout cela est très sain. Des tensions sont inévitables entre parti et exécutif. Je crois, pour ma part, que c'est une tension féconde. C'est celle, je crois, que connaissent tous les partis sociaux-démocrates ou les partis socialistes au pouvoir, pour autant qu'ils demeurent ouverts au courant démocratique. Un gouvernement ne doit pas plier devant le parti, parce qu'il doit être le gouvernement de tous les citoyens, mais il doit tout de même considérer le parti comme une sorte de leader moral politique et respecter cette espèce de conscience qu'il représente.

Nous devons suivre — mais jamais aveuglément — les orientations qu'il s'est données ou qu'il continue

196

de se donner. Nous l'avons bien sentie, cette tension, au congrès qui s'est déroulé au mois de mai 1977, où il a fallu, sur certains points, que je dise, au nom du gouvernement, qu'il n'était pas possible d'accepter des résolutions qui avaient émané de l'assemblée. Le P.Q. l'a admis, mais cela a créé un stress, qui en soi n'est pas mauvais du tout. Bien au contraire, je trouverais mortel que le parti s'endorme en se disant qu'il est au pouvoir et en laissant le gouvernement s'arranger de tout.

— *En distinguant, parmi les membres de votre gouvernement, les ministres et les superministres, n'avez-vous pas porté atteinte à la cohésion du Cabinet?*

— En novembre 1976, nous avons recréé ou redéfini la notion de ministre d'État, sans aller jusqu'au Cabinet interne et au Cabinet externe, comme en Angleterre. Mais il fallait au moins réduire le risque d'incohérence d'un groupe de vingt-cinq ministres — et parfois plus — qui, constamment, sont en train d'essayer de démêler des priorités, de briser le cloisonnement et de coordonner leur action.

Les ministres d'État, au nombre de cinq, avec les grands ministres horizontaux, ceux des Finances, des Affaires intergouvernementales, forment un comité de priorité. Mais les ministres d'État arrivent à ce comité de priorité avec le travail du comité permanent qu'ils ont en charge, par exemple les comités permanents de développement culturel, social, économique. Les ministres d'État sont chargés de les coiffer, de coordonner les actions, et de participer, avec le Premier ministre et les ministres horizontaux, au travail d'ajustement des priorités. Ils font part de leurs perspectives à leurs collègues du Conseil, car ils ne sont pas superministres. Ils ont peut-être un rôle en apparence un peu plus prédominant, puisqu'ils coordonnent et puisqu'ils participent à cette pré-prospection des priorités. Mais tout cela est remis en question devant le Conseil des ministres au complet, et la décision se prend alors, entre gens qui sont égaux au moment de la décision. Seuls, les rôles sont différents. Ce rôle de coordination, de pilote, en quelque sorte, je crois qu'aucun gouvernement ne peut aujourd'hui s'en passer. Si cette expérience avait raté, il aurait fallu trouver autre chose, qui aurait tout de même été une équivalence, car tout gouvernement qui prépare et organise son action, si peu que ce soit, est obligé d'avoir quelque chose comme ce genre de partage des tâches.

— *On murmure que votre cabinet n'est pas des plus homogènes. Et l'on voudrait trouver dans ce décalage entre les uns et les autres l'annonce d'une désunion, voire d'un éclatement. De nombreuses décisions sont-elles prises sans qu'il y ait unanimité?*

— Dans notre parti, il y en a qui ont des convictions, des motivations extrêmement précises sur tel ou tel sujet, sur tel ou tel aspect des questions sociales, ou des questions économiques ou culturelles. Cela ne crée pas toujours l'unanimité facilement. Mais la tradition du Conseil des ministres étant par principe d'éviter le vote, il doit donc éventuellement y avoir un ralliement, sinon il vaut mieux «laisser porter». Si des urgences se présentent, il faut arriver coûte que coûte à ce que tout le monde accepte la solidarité de la décision, même si cela doit prendre deux ou trois jours et deux ou trois nuits. Sur ces bases, le Cabinet fonctionne depuis novembre 1976. Ce qui ne veut pas dire qu'il n'y a aucune réticence, que certains ne sont «obligés d'avaler» certaines décisions. C'est normal. J'agis cependant toujours dans la perspective du consensus qui doit nécessairement se dégager à la fin.

— *Le centralisme d'Ottawa est subtil. Il endort les méfiances en arguant habilement l'intérêt commun. Pensez-vous que les Québécois aient une conscience aussi aiguë que la vôtre, de ce qui vous apparaît comme un piège?*

— Je crois que les Québécois sont de plus en plus conscients des dangers de cet empiètement, car cela dure depuis trente ans avec une progression constante. Empiètement généralement sournois mais parfois dur du fédéral. Avec des façades comme ce que l'on a appelé le «french power» qui peuvent donner le change pendant un certain temps, mais qui ne peuvent empêcher un jour ou l'autre que le voile ne se déchire brutalement. Quand il s'agit, par exemple, des responsabilités économiques, les Québécois commencent très sérieusement et majoritairement à placer la responsabilité là où elle se trouve, c'est-à-dire dans le régime fédéral et son administration. Ils savent fort bien que les leviers principaux sont manoeuvrés de là, que c'est encore là que se commettent les «gaffes» principales. Par ailleurs, la sympathie naturelle — et là encore les sondages le prouvent — va vers le gouvernement du Québec tel qu'il est pour l'instant... encore que bien des gens aspirent à le transformer. Il est l'émanation, avec ses défauts et ses qualités, de notre société. De son potentiel aussi. C'est le seul sur lequel nous ayons la prise totale que doit avoir une société sur ses institutions.

— *Le Canada a déjà beaucoup de difficultés à garder une certaine autonomie économique par rapport à l'économie américaine. Le Québec ne sera-t-il pas désavantagé par la finance américaine et internationale?*

— L'importance du Canada peut paraître énorme si l'on regarde une carte géographique. Mais ce n'est en fait qu'un pays de vingt-trois millions d'habitants, disséminés le long de la frontière des États-Unis. La sécurité, la stabilité et les possibilités d'autodéveloppement, l'accession à une certaine émancipation économique de ces vingt-trois millions d'habitants étirés comme un ver solitaire le long d'une frontière, n'ont rien de supérieur à celles de six millions de gens qui, avec leur langue et leur histoire commune, et un territoire bien placé, formeraient un peuple compact, encadré par ses propres institutions. J'accorde de meilleures chances à ce peuple suffisamment compact et bien intégré, plutôt qu'à ce grand

200

corps mou que constitue l'ensemble canadien. Ce n'est pas du mépris, c'est une constatation que n'importe qui au Canada peut faire. Quand nos détracteurs annoncent comme une fatalité la satellisation inéluctable du Québec par les États-Unis, je me demande vraiment si l'emprise américaine pourrait aller plus loin que le point auquel le Canada est descendu. Si le Canada est devenu à ce point un satellite de l'empire économique américain, cela s'est fait à partir de décisions essentiellement prises par la majorité anglo-canadienne et par le gouvernement fédéral en vertu des pouvoirs fédéraux d'orientation politique et économique qui s'imposent à toutes les provinces, dont le Québec. Le Québec souverain serait en tout cas moins étouffé, moins impuissant qu'il ne l'est actuellement.

Pour répondre à un certain nationalisme pancanadien assez diffus, Ottawa n'a rien trouvé de mieux que la création d'une agence d'intervention. C'est une agence de tamisage des investissements étrangers extrêmement discrétionnaire, extrêmement discrète aussi, dont il est difficile de suivre l'action au grand jour, et qui jusqu'ici n'a strictement rien changé d'important. Nous, au-delà de certaines actions qu'un État provincial pouvait développer, et qui ont été amorcées dans les années 60, avant même d'être au gouvernement et en prévision du jour où nous aurions le pouvoir, nous avions déjà choisi, avec le «code des investissements», une certaine option de ce que doit être le *self-government* économique, sans lequel la souveraineté politique risque de devenir une coquille creuse.

Plutôt que d'intervenir au coup par coup, par usine, comme le fait l'agence fédérale, nous prendrons l'économie par grands secteurs, et nous proposerons les traitements nécessaires à une économie nationale qui se respecte et qui accepte de se transformer graduellement. Nous procéderons par étapes, sans rien bousculer, de manière à éviter une perte de rentabilité et des répercussions politiques. Nous devons progressivement émanciper ce qui doit l'être, pour assurer la maîtrise de nos décisions essentielles dans un monde qui va être de plus en plus interdépendant. C'est à nous de décider si une entreprise sera privée, publique ou mixte. Mais elle devra être le plus souvent possible de propriété québécoise.

— *Comment vous situez-vous par rapport aux États-Unis?*

— J'ai passé toute une partie de ma vie, comme beaucoup de journalistes, en contact constant avec l'Amérique du Nord, et surtout avec les États les plus proches, les États de la Nouvelle-Angleterre, l'État de New York, Chicago. Je n'ai jamais fait partie de ceux qui ont, vis-à-vis des États-Unis, cette espèce d'antiaméricanisme facile, presque inévitable tout de même, que peut déclencher la réalité de cet immense empire. Il faut bien admettre que nous vivons l'époque de la culture américaine. C'est une culture qui a une dimension universelle, omniprésente dans le monde. Le monde baigne dans l'influence et s'inscrit dans la mouvance américaine. Nous, Québécois, nous en sommes encore plus proches.

202

Ignorer cette influence et sombrer dans l'antiaméricanisme me semblerait bien puéril. D'ailleurs la tradition intellectuelle américaine, loin d'être négligeable, est beaucoup plus forte que certains beaux esprits ne l'imaginent. Les États-Unis ont tous les défauts d'une grande puissance, sauf celui des ghettos organisés, des camps de concentration et des bains de sang. En dépit du Viêt-nam et de certaines menées de la C.I.A., il reste que c'est tout de même le plus vivable des empires, de tous les empires qu'on ait connus jusqu'ici, et qui a des chances de se civiliser davantage, et en tout cas beaucoup plus que bien d'autres puissances.

J'ai gardé une admiration inouïe pour certaines de leurs réalisations. Je commencerai par les pères fondateurs des États-Unis. Il suffit de relire ce qu'ils avaient à dire, de se replonger dans le climat de l'époque, pour comprendre que cela a été aussi extraordinaire, aussi important dans l'histoire du monde que le miracle d'Athènes dans la Grèce antique. J'ai toujours trouvé que cette combinaison de génie et de perspective absolument extraordinaire dans une petite colonie de trois ou quatre millions d'habitants était très inspirante. Dans les réalisations en cours de la société américaine, je retiens certains aspects comme l'égalitarisme foncier des Américains. Chaque Américain se dit: «Le président et moi, c'est la même chose! Nous sommes américains, nous sommes des citoyens comme lui.» À quoi s'ajoute une décontraction dans les rapports que nous partageons un peu. Il y a encore ce côté très pratique et tenace de l'Américain que je voudrais bien souvent voir davantage implanté chez nous: «Il faut produire, il faut réaliser.» La fibre américaine est une fibre pragmatique. Tous les domaines de la société en sont marqués. Les grands sociologues américains, qui très souvent étudient des questions qui nous intéressent énormément, sont des cliniciens. Ils vont directement là où se trouve la réalité. Au contraire, la formation humaniste nous amène plutôt à partir de théories, à généraliser d'abord, et à voir plus tard si la réalité pourrait se plier aux généralités. Il y a beaucoup d'enseignements à prendre de ce pragmatisme américain.

— *Mais parmi vos collaborateurs, on en compte beaucoup qui ont privilégié l'apport européen.*

— Et c'est un excellent équilibre! Je ne peux sousestimer l'apport européen tout d'abord parce qu'il a nourri nos sources vives. Tout ce qui est notre culture, notre langue, tout ce que nous avons pu hériter de la technique, des sciences, et de l'administration même, est de source européenne. Mais notre appartenance au monde américain devrait nous permettre de revivifier, de réalimenter les vieux liens culturels qui nous rattachent à l'Europe. La ligne de partage entre culture européenne et culture américaine ne passe pas entre les personnes, elle passe vraiment à l'intérieur de chacun d'entre nous.

— *Quelle place voudriez-vous donner au Québec sur l'échiquier international?*

204

— Nous devons rester très modestes dans nos perspectives de politique internationale parce que, et l'expérience le prouve partout dans le monde, une politique internationale se développe en fonction des conjonctures. Il y a des paramètres essentiels qui sont dictés par la géopolitique de chaque pays et par ses intérêts permanents. Bien sûr, des ajustements se font. Mais prétendre les prévoir et les baliser à l'avance semble non seulement présomptueux, mais tout à fait ridicule. D'autant plus que nous n'en avons pas l'expérience, ni les leviers indispensables, puisque nous ne sommes encore qu'une province. Certaines relations, qui restent très surveillées par Ottawa, se sont établies grâce au réseau des dix-huit Délégations du Québec ou des groupes de coopérants qui se promènent dans le monde. Nous pouvons avoir par ces truchements, des amorces de relations qui nous donnent une expérience initiale.

Comme parti et comme gouvernement, la seule chose que nous ayons dans notre programme en prévision du jour où ce serait nécessaire est tout ce qu'on peut tâcher de définir, à partir de notre situation géographique et de nos intérêts permanents tels qu'ils nous apparaissent actuellement, comme fondement de nos attitudes.

Ces fondements sont très simples:

C'est d'abord de classer dans un ordre hiérarchique les priorités de nos relations à établir. Relations à ajuster de façon permanente le plus vite possible, avec le Canada en premier lieu, pour les raisons évidentes de notre association. Avec les États-Unis pour des raisons non moins évidentes, et enfin avec l'Europe et les pays francophones, dont la figure de proue massive est évidemment la France. Le triangle essentiel de nos relations étrangères serait : le Canada, les États-Unis et l'Europe, en partant de la France et la francophonie. Pour le reste, nous serons obligés de nous en tenir à de grands principes, c'est-à-dire que les petits pays ont, à notre avis, essentiellement une vocation à jouer comme ferment actif de la paix. L'exemple des pays scandinaves, à ce point de vue, est excellent à suivre, car ils jouent très souvent le rôle d'agents de réconciliation et de rapprochement entre les peuples.

— *Que pensez-vous des partis de gauche de l'Occident et de l'eurocommunisme ?*

— Ce qui m'a intéressé le plus du côté de la gauche européenne, c'est le récent débat sur le socialisme du Sud et le socialisme du Nord. Il semblait se dégager une image d'un socialisme dogmatique, idéologiquement beaucoup plus dur dans le sud du continent, la France, l'Italie, l'Espagne, le Portugal. Au contraire, le socialisme du Nord serait plus évolutionniste, plus empirique. J'avoue honnêtement que de ce point de vue là, je suis plutôt un nordique.

Pour ce qui est de l'évolution, une chose me frappe tout d'abord : le Marché commun est en train de transformer de nombreuses situations. On peut le constater aussi avec la démocratisation entamée en Espagne et au Portugal, depuis les dernières élections, ou encore avec le compromis historique accepté par le parti communiste en Italie. Je n'ai pas à juger ce qui se passe dans ces formations, car je ne les connais pas. Mais ce communisme italien semble vouloir s'ajuster à une certaine évolution de la société, qui lui permettrait de jouer le jeu démocratique et de participer au gouvernement. Ce qui le rapproche de la tentative de l'Union de la gauche en France, qui était probablement la seule chance pour ces formations de prendre le pouvoir, à condition qu'elle ne se démembre pas ou qu'elle ne s'abîme pas de nouveau dans les déchirements de frères ennemis.

— Votre province veut sortir d'un régime fédéral quand les États d'Europe sont à la veille d'élire un Parlement...

— Si ce Parlement européen se crée, et si on devait lui donner de vrais pouvoirs, ce serait lui qui gouvernera, et à ce moment-là on comprendra très vite pourquoi nous, Québécois, n'aimons pas beaucoup le fédéralisme organique à l'ancienne mode. En Europe, pour des raisons continentales, il s'agit, dans certains esprits, de créer une grande puissance qui pourrait tenir tête dans le dialogue planétaire aussi bien au bloc de l'Est qu'à l'empire américain, à la puissance japonaise qui émerge de plus en plus, et éventuellement à celle de la Chine. Ce rêve de grandeur européenne paraît exiger que cette puissance soit structurée politiquement et de façon très détaillée. Dans cette perspective, je vois tout à fait l'idée du Parlement européen. Mais ne serait-ce pas retomber dans un fédéralisme multinational, multi-culturel, ne serait-ce pas retomber dans une recette du XVIIIᵉ ou du XIXᵉ siècle qui ne s'est jamais appliquée convenablement que là où il y a un *melting-pot* culturel, ce qui n'est pas le cas pour l'Europe?

Les États-Unis, avec tous leurs problèmes, sont tout de même un *melting-pot* parmi les plus efficaces. C'est le cas également de l'Allemagne fédérale, qui, avec toutes ses nuances provinciales, est totalement germanophone.

Les fédéralismes binationaux, comme le canadien, ou multinationaux sont, à mon avis, une voie qui se termine sur un cul-de-sac. Mais cela regarde les Européens.

Nous avons toujours cru, depuis des années, et nous continuons à le croire, à l'imagination géniale qui a conçu cette nouvelle formule du traité de Rome. Pour reprendre l'expression du général de Gaulle, «L'Europe des patries» était et demeure une des voies de l'avenir, dans un monde où chaque entité culturelle ou nationale tient à s'exprimer comme jamais auparavant, mais où, en même temps, un autre courant va dans le sens de l'unification. Or, pour équilibrer les deux, il me semble que la formule du Marché commun, la formule de l'Europe des Neuf, ou éventuellement de l'Europe des Douze, permet, d'une part, de maintenir l'affirmation des identités, et, d'autre part, de répondre à ce besoin d'élargissement des marchés, de communication plus intense entre les hommes. Se jeter la tête la première de nouveau dans la structuration d'un fédéralisme, en arriver à élire un parlement, me fait penser qu'on brise la ligne de développement normal du Marché commun.

J'ai sans doute une réaction typiquement nord-américaine, ou en tout cas d'homme élevé dans la tradition britannique, qui est de penser ceci: avec ou sans parlement, que ce soit à l'échelle des pays ou à l'échelle de ce parlement, il faudra surtout sortir de cette tradition «vieille Europe» des compartiments étroits et trop souvent doctrinaires, et remplacer cette espèce de «salade» que forment tous ces petits partis qui ne sont jamais majoritaires, pour construire à la place deux ou trois grands partis qui représentent les courants principaux de la société, qui les simplifient aussi.

— *Comptez-vous sur l'appui politique des sociaux-démocrates européens?*

— Absolument pas. Nous aurons des contacts, bien sûr. Sur un plan personnel. Certains membres de notre gouvernement connaissent déjà, pour les avoir visités, les pays scandinaves, l'Europe du Nord, de même que l'Allemagne. Nous ne comptons pas sur ces correspondances de société et d'économie pour prendre la décision qui doit être prise au Québec. Si le Québec prend sa décision dans le sens que nous proposons au moment du référendum, il est probable que dans la période de transition, et puis dans les premières étapes qui suivront, un courant de sympathie se manifestera de la part de ces régimes sociaux-démocrates.

Nous comptons encore davantage sur la correspondance normale qui doit s'établir entre les milieux culturels qui sont nos proches parents, c'est-à-dire avec la France, la Wallonnie, même si le Québec n'y est pas toujours aussi connu qu'on le souhaiterait. Il n'a pas fait souvent parler de lui de façon violente au cours de l'histoire! Mais nous avons tout de même beaucoup d'amis éclairés, en France notamment, en Wallonnie et dans le Jura suisse, et cette relation naturelle, nous l'espérons, jouera certainement le moment venu. Il y a pour nous beaucoup de réconfort à savoir que nous pouvons correspondre avec des amis, avec des gens qui comprennent nos problèmes, qui voient aussi l'avenir, même s'il ne s'agit pas de leur propre avenir, de la même façon que nous, car après tout nous sommes tous solidaires dans le monde. Mais nous n'attendons rien de plus comme appui.

— *La part des emprunts souscrits par le Québec sur les marchés allemands est très importante. Avez-vous l'impression d'y être bien reçu?*

— Oui, le crédit du Québec est très bien vu à travers le monde. L'Allemagne, comme la Suisse ou toute autre place financière, évalue très froidement la force économique et la nature des garanties apportées par ses emprunteurs. C'est uniquement cela qui joue. Les milieux financiers, la plupart du temps, n'ont absolument rien à voir avec une idéologie politique. Ils sont généralement favorables au *statu quo*.

Le marché allemand est intervenu ponctuellement, d'une façon relativement modeste, dans nos opérations européennes, qui elles-mêmes n'ont pas, et il s'en faut de beaucoup, l'importance de notre marché naturel: celui du Québec, du Canada et des États-Unis. Le marché intérieur est déjà très important. Même si le Québec n'a que six millions d'habitants, c'est, par habitant, l'un des réservoirs les plus importants de capitaux au monde. La tradition d'épargne est très forte au Québec. L'accumulation de capitaux représente entre 30 et 35 milliards de dollars. Nous conservons aussi une ouverture sur le marché canadien. Tant que nous sommes liés au Canada politiquement, nous le sommes aussi financièrement, ce qui ne signifie pas pour autant que Toronto nous privilégie. On n'y aime pas beaucoup l'orientation politique du Québec, mais les Anglo-Canadiens vont bientôt se trouver dans un cercle vicieux. S'ils prétendent boycotter systématiquement le Québec, ils peuvent accélérer l'évolution du Québec dans le sens qu'ils réprouvent. Si, à l'inverse, ils respectent les règles du jeu, comme nous nous y sommes engagés, jusqu'à ce que la population du Québec décide, il ne faut pas qu'il y ait de boycottage. Les opérations du gouvernement lui-même sont financées pour l'essentiel à l'intérieur. L'Hydro-Québec, qui a besoin pour ses projets d'une masse vertigineuse de capitaux, fait, elle, appel aux marchés extérieurs, sur son propre crédit et avec la garantie de l'État.

— Mais la part des emprunts réalisés sur les places européennes n'a-t-elle pas augmenté depuis que le P.Q. est au pouvoir?

— Ce n'était pas nouveau. Depuis quelques années, le marché financier européen connaît les emprunts du Québec. Nous avons voulu, progressivement, diversifier nos sources, trop longtemps cantonnées aux États-Unis, à New York et plus rarement à Chicago. Nous tenons compte également du fait que la grande expansion de l'Europe des Neuf offre un marché aussi important, à beaucoup de points de vue, que celui des États-Unis.

Le Québec, comme la plupart des gouvernements provinciaux du Canada, qui n'ont pas de banque centrale et ne disposent pas de la maîtrise complète et institutionnelle de leurs opérations financières, doit donc aller sur le marché, comme des entreprises. À la réserve cependant que les gouvernements peuvent difficilement faire faillite. Le gouvernement Bourassa avait déjà pratiqué cette politique de présence sur les marchés financiers européens. Mais nous avons intensifié ces actions pendant les premiers mois de notre administration, à la fois pour maintenir l'image de solidité financière du Québec, et également pour répondre à nos besoins. Mais nous avons emprunté à l'intérieur d'un cadre relativement austère. Plus de politique de facilité avec des emprunts en cascade, comme nous nous l'étions permis de 1974 à 1976.

En guise de conclusion (inachevée)

«*NOUS SOMMES DES QUÉBÉCOIS*»

«...Il s'agit d'un peuple qui, pendant longtemps, s'est contenté, pour ainsi dire, de se faire oublier pour survivre. Puis il s'est dit que, pour durer valablement, il faut s'affirmer. Et ensuite que, pour bien s'affirmer, il peut devenir souhaitable et même nécessaire de s'affranchir collectivement. Il est donc arrivé, il y aura un an dans quelques jours, qu'un parti soit porté au pouvoir, dont la raison d'être initiale, et toujours centrale, est justement l'émancipation politique. Et quoi qu'on ait prétendu et qu'on prétende encore dans certains milieux qui n'ont guère prisé l'événement, les électeurs savaient fort bien ce qu'ils faisaient; ils n'étaient ni ignorants, ni distraits. Et bien des gens, même chez ceux qui s'y opposaient, ont ressenti une grande fierté de cette victoire sur le chantage propre à tous les régimes qui se sentent menacés.

«Il est donc de plus en plus assuré qu'un nouveau pays apparaîtra bientôt démocratiquement sur la carte, là où jusqu'à présent un État fédéral aurait bien voulu n'apercevoir qu'une de ses provinces parmi d'autres, et là où vit la très grande majorité de ceux que vous appelez souvent «les Français du Canada» — expression dont la simplicité, qui rejoint quelque chose d'essentiel, est pourtant devenue trompeuse en cours de route.

«Mais commençons par tout ce qu'elle conserve d'authentiquement vrai. Sur quelque 2 000 kilomètres du nord au sud et plus de 1 500 de l'est à l'ouest, le Québec est, physiquement, la plus grande des contrées du monde dont la langue officielle soit le français. Plus de quatre sur cinq de ses habitants sont d'origine et de culture françaises. Hors de l'Europe, nous formons donc la seule collectivité importante qui soit française de souche. Nous pouvons, tout comme vous, évoquer sans rire nos ancêtres les Gaulois! Et, comme nous ne sommes pourtant que six millions au coin d'un continent comptant quarante fois plus d'anglophones, même qu'il nous advient de nous sentir cernés comme Astérix dans son village... et de songer aussi que l'Amérique du Nord tout entière aurait fort bien pu être gauloise plutôt que... néoromaine.

«Car ce fut un incroyable commencement que le nôtre. De la baie d'Hudson et du Labrador tout en haut jusqu'au golfe du Mexique tout en bas, et de Gaspé près de l'Atlantique jusqu'aux Rocheuses d'où l'on voit presque le Pacifique, c'est nous — et c'est donc vous en même temps — qui fûmes les découvreurs et aussi les premiers Européens à prendre racine. Les pèlerins du *Mayflower* n'avaient pas encore tout à fait levé l'ancre pour aller fonder la Nouvelle-Angleterre que déjà Champlain avait érigé à Québec son habitation et que la Nouvelle-France était née.

214

«Et puis, pendant cent cinquante ans, guerriers et missionnaires, colons et coureurs des bois écrivirent bon nombre des pages les plus extraordinaires, sinon les mieux connues, des XVIIe et XVIIIe siècles.

«Quand j'étais petit gars, comme tous les enfants, j'avais mon héros personnel, que j'ai sûrement partagé avec d'innombrables jeunes Québécois. Il s'appelait Pierre Lemoyne d'Iberville. De tous ceux qui, par des froids polaires comme des chaleurs torrides, sillonnèrent le Nouveau Monde, il fut sans doute le plus fulgurant. Si son théâtre d'opérations n'avait pas été ces lointains espaces, ou encore la vieille France, on me permettra de le dire, eût-elle été un peu moins exclusivement rivée à l'Europe, vous auriez aujourd'hui une multitude de petits Français qui rêveraient eux aussi à d'Iberville.

«Quoi qu'il en soit, cette histoire-là, pendant un siècle et demi, elle fut la nôtre — et la vôtre également. Et je me souviens qu'en arrivant au dernier chapitre, celui qui se termine par défaite et conquête, on perdait le goût de savoir la suite, et l'on revenait plutôt inlassablement au début; parce que la suite, n'en déplaise à nos concitoyens d'origine britannique, ça nous semblait devenu en quelque sorte l'histoire des autres.

«Car cette défaite, on l'a bien décrite en disant qu'elle en fut une au sens premier de l'expression, c'est-à-dire que quelque chose en sortit littéralement défait, démoli, et pour longtemps. Et ce quelque chose, c'était cette «aptitude à devenir une nation normale» qu'un intendant du roi, comme bien d'autres observateurs, avait noté dans un rapport à Versailles. Si la colonisation française, la plus faible, n'avait pas eu à se heurter à la plus forte, qui était anglaise, l'évolution de ces Canadiens, dont personne d'autre alors ne portait le nom, les aurait menés à la pleine existence nationale tout aussi sûrement, et pas tellement plus tard, que les treize autres colonies plus populeuses qui devaient bientôt se baptiser les États-Unis.

«Il ne s'agit pas ici d'idéaliser nostalgiquement cette toute petite société de quelques dizaines de milliers de pauvres gens qui, en 1760, eurent à subir dans la vallée du Saint-Laurent une domination étrangère destinée à demeurer longuement permanente. Comme toutes les autres colonies de l'époque, ce n'était encore que la dépendance d'une métropole à la fois naturelle et lointaine, et dont le pouvoir, une fois son oeuvre accomplie, aurait cessé chez nous comme ailleurs, n'eût été la rupture de continuité. Déjà, en effet, la distance, le climat, les contacts suivis avec la population indienne, les aventures continentales avaient façonné une mentalité et un mode de vie de plus en plus différents de ceux de la mère patrie. Il y avait là, en puissance, une nation, française bien sûr, mais de personnalité tout aussi capable de vivre sa vie et d'être présente au monde que toute autre.

«C'est cela que la défaite vint briser, mais sans parvenir toutefois à en effacer le rêve. Un rêve assez fort, quoique d'ordinaire inavoué, pour nourrir jusqu'à nos jours une identité et une idée nationales que, seuls, la faiblesse numérique et l'isolement total empêchèrent de se réaliser.

«Mais bientôt le nombre se mit à augmenter, et la «revanche des berceaux» vint le multiplier si prodigieusement que le grand historien Toynbee affirmait un jour qu'à son avis, lorsque sonnerait la trompette du Jugement dernier, deux peuples seulement seraient sûrs d'y être encore: les Chinois... et nous!

«Et tout le long de ce cheminement laborieux de la «survivance», une absence jusqu'à tout récemment nous avait toujours paru singulièrement criante et assez incompréhensible: c'était celle de la France. Il y avait entre nous depuis deux siècles, souligné plutôt qu'amoindri par la participation commune aux deux grandes guerres, un fossé d'ignorance et de méconnaissance que nos relations à peine épisodiques ne parvenaient qu'à creuser davantage.

«Aussi n'est-il pas excessif, du moins pas beaucoup, de dire: ''Enfin de Gaulle vint...'' Non pas seulement, ni même surtout, pour ce ''Vive le Québec libre!'', cet accroc prophétique qui retentit tout autour du monde. Il faut se rappeler que, bien avant, dès 1961, le Général avait tenu à présider, avec le Premier ministre Lesage, à de véritables retrouvailles entre la France et le Québec, et, sans doute poussé par sa passion pour le vieux pays et ce qu'il a produit de plus durable, il s'était donné la peine d'étudier le dossier de ce rejeton unique que nous sommes. Et ce dossier, je puis vous dire qu'il le connaissait à fond, mieux que quiconque, sauf les premiers intéressés.

«Cette connaissance, elle était en effet parfaitement à la page. Ce n'était plus celle uniquement des "Canadiens" de l'Ancien Régime, ni des Canadiens français de naguère, mais c'était aussi celle des Québécois, comme on disait déjà de plus en plus. Car au cours de ces années 60, à la suite d'une maturation dont personne ne s'était trop rendu compte, c'était le Québec qui émergeait brusquement, le Québec tout court, et non plus la "province de Québec", colonie intérieure dans le Canada fédéral. Émergence sans hostilité, d'ailleurs, ni la moindre intention revancharde, qui indiquait tout simplement une auto-affirmation dont l'heure avait enfin sonné, en attendant celle de l'autodétermination.

«À cet éveil rapide, que nous fûmes nous-mêmes les premiers à juger étonnant, on a donné le nom de "révolution tranquille", ce qui n'était pas mal trouvé. Révolutionnaire, ce l'était réellement, si l'on accepte qu'un bouleversement fondamental puisse se passer de tueries et de ruines. Tranquille, par conséquent, marqué par cette continuité dans le changement, même le plus radical, qui est l'une des caractéristiques de notre peuple. Tranquillement donc, mais sur tous les plans, on assista à un déblocage aussi soudain que l'est, au printemps, la rupture des embâcles sur nos rivières. Et le terroir se mit à fleurir et produire comme jamais: une réforme aussi profonde que tardive de l'éducation; la mise en place d'une administration moderne, si bien organisée qu'elle donne elle aussi les signes d'un mal bureaucratique qui n'est pas que français; mais également une pensée sociale qui, sur quelques points majeurs, pas-

218

sait rapidement de l'arrière à l'avant-garde; et puis encore une conscience de plus en plus aiguë des responsabilités comme des enjeux essentiels de la vie économique.

«Et comme il est normal, tout cela fut annoncé puis accompagné par les artistes, une pléiade sans précédent d'écrivains, de peintres, de cinéastes, d'architectes, et surtout ces superbes poètes populaires, dont plusieurs sont bien connus en France, qui nous ont fait un répertoire de chansons dans lesquelles, sans oublier les vieux airs de vos provinces qui nous avaient bercés, nous retrouvons désormais notre visage et nos accents d'aujourd'hui, avec l'écho précis de nos réussites, de nos échecs et de nos projets. C'est ce Québec nouveau, renouvelé, que de Gaulle s'était donné la peine de voir. Contrairement à ce que d'aucuns ont pu penser, il n'avait pas eu à l'"inventer".

«Inévitablement, cette métamorphose se devait de susciter la création d'un instrument pour l'exprimer politiquement et essayer de la conduire à son accomplissement normal. Cet instrument, le parti québécois, nous fûmes d'abord quelques centaines, puis plusieurs milliers, à le mettre au monde en 1967-1968, avec ces deux objectifs qui sont demeurés jumelés depuis lors: souveraineté et association. Soit un État québécois souverain acceptant, ou plutôt offrant à l'avance de nouveaux liens d'interdépendance avec le Canada, mais des liens à négocier cette fois librement entre peuples égaux, en fonction de leur évidence géographique et de leurs intérêts les plus indiscutables.

219

«Ces deux objectifs, qui peuvent sembler contradictoires, sont en réalité parfaitement complémentaires; et s'ils comportent un pari, ce dernier nous paraît tout aussi logique aujourd'hui qu'il y a dix ans, alors que nous le faisions pour la première fois, en prévoyant aussi dès lors toutes ces stratégiques fins de non-recevoir qu'on nous oppose périodiquement en dépit du bon sens. Devant tout changement qui dérange, même lorsqu'on sait au fond qu'il va falloir y passer, la première réaction de l'ordre établi est infailliblement négative. D'abord et aussi longtemps que faire se peut, on dit toujours: "Jamais." Comme le roi Canut qui se faisait fort d'arrêter la marée...

«Voilà donc, en bref, l'option nationale inscrite depuis les débuts au coeur d'un programme politique dont chaque paragraphe, chaque mot même, a été rigoureusement soumis à l'attention de tous les Québécois. Mais comme les autres, bien sûr, au delà de ces questions existentielles mais assez peu quotidiennes qu'on règle — pour un temps — dans les Constitutions, notre peuple vit également tous les problèmes, les frustrations et les aspirations des hommes et des femmes de leur temps. C'est pourquoi nous devons nous efforcer aussi, en cours de route, de répondre le moins mal possible, avec les compétences que daigne nous accorder le régime fédéral, à ces exigences de nos concitoyens.

«L'ensemble du projet de société que nous avons tenté de dessiner, d'autres que nous lui ont collé une étiquette européenne de marque: celle de la social-démocratie. Il me semble toutefois préférable de parler plus simplement de démocratie, sans qualificatif, ce vieil idéal qu'on n'atteindra jamais complètement, qu'il faut donc poursuivre avec persistance afin de l'instaurer autant qu'on peut dans tous les coins de la vie où il fait encore si grandement défaut: dans le logement comme dans l'entreprise, pour les vieux comme pour les jeunes, pour les femmes, pour les consommateurs, pour les laissés-pour-compte de la croissance; mais d'abord et avant tout, et avec une rigueur toute spéciale, dans l'action politique. Le droit d'être électeurs n'appartient qu'aux seuls citoyens. Il n'a donc pas de raison — et nous en avons ainsi décidé dans une loi —de permettre aux sociétés ou aux syndicats, ou à quelque "groupe de pression" que ce soit, de se mêler financièrement de la vie des partis. C'est là pour nous, dans la situation où nous sommes, une exigence démocratique de base. Et si une vraie démocratie doit pouvoir s'installer partout, il faut, bien sûr, à une société que la tâche intéresse, la pleine et entière liberté de le faire à sa façon, selon ses priorités. C'est ce besoin d'une liberté dont le synonyme le meilleur est à mon humble avis responsabilité, qui explique pour une très grande part notre objectif d'indépendance nationale. Qu'il s'agisse, en effet, de l'aménagement du territoire, de la sécurité sociale ou du progrès économique, les interactions sont telles dans le monde moderne qu'on ne peut mener une politique cohérente et efficace si l'on ne détient que des morceaux de compétence et des fractions des ressources fiscales. Cela appelle des moyens législatifs et financiers que le Québec ne possède pas actuellement et qu'il ne peut trouver que dans l'accession à la souveraineté.

«Mais il y a de plus le souci constant, lancinant, même quotidien pourrait-on dire, de maintenir une identité linguistique et culturelle qui a perdu les vieilles sécurités d'un Québec isolé, rural et prolifique, une identité qui est aujourd'hui exposée comme jamais aux grands courants continentaux de la culture américaine, et qui risque, par surcroît, d'être "minorisée" par la politique d'immigration d'un État fédéral que nous ne contrôlerons jamais, ainsi que le poids excessif au Québec d'une minorité anglophone dont les milieux dirigeants exercent depuis trop longtemps une influence proprement coloniale. Or, cette identité, après bientôt quatre cents ans, elle est comme l'âme à tel point chevillée à l'organisme du Québec que, sans elle, il n'aurait plus sa raison d'être.

«Aussi, en attendant cette sécurité définitive que seules nos propres institutions politiques sauront nous garantir, avons-nous été, dès les premiers mois, le troisième gouvernement québécois d'affilée à se voir dans l'obligation de présenter une loi pour la défense et la promotion d'une langue qui, dans un contexte normal, n'aurait jamais eu besoin d'une telle prothèse.

«Et voilà donc pourquoi, dans un référendum que l'on tiendra avant les prochaines élections, et qui ne saurait évidemment impliquer que nous seuls, sera proposé le choix d'un Québec souverain, maître politiquement de toute sa vie interne et de son devenir. À quoi absolument rien n'interdit d'assortir cette offre complémentaire que j'évoquais tout à l'heure, celle de négocier avec le Canada une association essentiellement économique qui serait non seulement aussi rentable pour lui que pour nous, mais non moins nécessaire à sa continuité, pour peu qu'il y tienne.

«De toute façon, le Canada en général sait bien maintenant, presqu'aussi bien que le Québec, qu'à tout le moins de profondes transformations sont requises. Le régime constitutionnel qui fut concédé à une poignée de colonies du siècle dernier est devenu un carcan. Derrière la fiction des dix provinces, deux peuples distincts, et qui ont l'un et l'autre le même droit à l'autodétermination, se trouvent non seulement à l'étroit, mais en danger de s'empoisonner mutuellement de plus en plus, comme ces deux scorpions que Churchill évoquait naguère enfermés dans la même bouteille. Voilà un quart de siècle que l'évolution du Québec pose la question avec une insistance sans cesse croissante. On l'a esquivée tant qu'on pouvait. Mais l'on est maintenant arrivé à un point où, d'échec en échec, l'accord est en train de se faire sur la nécessité d'un renouvellement politique. Plutôt qu'un mauvais compromis de plus, l'association lucide de deux peuples et de deux États que nous proposons nous semble seule susceptible d'assurer de part et d'autre un avenir à la fois plus harmonieux et infiniment plus stimulant. Il ne s'agit pas tant de détruire quelque chose qui est déjà condamné, mais de commencer à bâtir ensemble quelque chose de réaliste, de généreux et d'éminemment prospectif.

«Pour nous Québécois, en tout cas, c'est littéralement du droit de vivre qu'il s'agit.

«Et cette exigence ne nous apparaît pas seulement naturelle et normale, ce qu'elle est à l'évidence, mais

223

très clairement inscrite aussi dans un mouvement universel. Contre le risque de nouvelles hégémonies, contre les dangers de domestication des esprits, de folklorisation des cultures, la véritable chance d'un nouvel humanisme mondial doit passer par l'apport original et constructif des personnes nationales, dont nous sommes. En Amérique, où nous tenons le coup depuis si longtemps, notre échec ou notre succès préfigure, à long terme, le succès ou l'échec d'autres peuples, également aux prises avec le mal et la rage de vivre, et qui cherchent eux aussi leur voie.

«À la France et à l'avenir de la langue et de la culture françaises, d'autre part, il ne saurait être indifférent que s'affirme, sur cet autre continent, un peuple libre qui puisse exprimer en français, mais avec son accent à lui, toutes les dimensions du monde d'aujourd'hui.

«La France et la francophonie seront par conséquent d'autant plus fortes que sera également fort et sûr de soi ce Québec qui serait d'emblée au onzième rang sur plus de cent cinquante pays pour le revenu national par habitant, et auquel ses ressources humaines aussi bien que matérielles promettent une carrière dont seule sa volonté peut fixer les limites.

«Les Québécois, comme tout autre peuple normal, vont avoir bientôt à décider entre eux de leur statut politique futur et de leur avenir national. Considérant tout ce qui nous unit, nous attendons cependant de vous et de tous les francophones du monde compréhension et sympathie. Quoi qu'il advienne, nous entendons maintenir et accroître avec votre peuple, sur un pied d'égalité, ces relations privilégiées si mutuellement fructueuses et bénéfiques à tous égards...»

René LÉVESQUE
(Allocution prononcée devant les membres de l'Assemblée nationale française, le 2 novembre 1977.)

DE LA NOUVELLE-FRANCE
AU QUÉBEC SOUVERAIN

I. - De Jacques Cartier à l'Acte d'union

1. *La nouvelle-France (1534-1763)*

1534   Jacques Cartier, de Saint-Malo, débarque à Gaspé, sur la pointe est du Québec, et prend possession des terres au nom de François 1ᵉʳ.

1604   Établissement de pionniers français sur les rives du Saint-Laurent.

1608   Fondation, sur un village indien, de Québec par Samuel de Champlain, cartographe du sieur De Monts, nommé par le roi lieutenant général de la Nouvelle-France.

1615-1616   Voyage d'exploration du Saint-Laurent jusqu'au lac Ontario.

1634   Fondation de Trois-Rivières.

1642   Fondation de Ville-Marie, la future Montréal, par Paul de Chomedey de Maisonneuve, près du village indien Hochelaga.

1663   La Nouvelle-France devient colonie royale.

1674   Création de l'évêché de Québec, dont le premier titulaire est Mgr de Laval.

1713   Traité d'Utrecht, après la guerre de succession d'Espagne. Terre-Neuve et l'Acadie sont cédées aux Anglais.

1734   Inauguration de la grand-route: le «chemin du Roy», entre Québec et Montréal.

1755   Déportation des Acadiens de la Nouvelle-Écosse par l'armée anglaise.

1759   Siège de Québec et défaite des armées françaises. Le général de Montcalm et le général Wolfe sont tués au cours d'un engagement dans les Plaines d'Abraham, au pied de la forteresse de Québec.

2. *Le régime anglais (1763-1840)*

1763 Signature du traité de Paris. La Nouvelle-France devient la colonie anglaise du Canada. La «proclamation royale» du roi George III abolit le libre exercice de la religion catholique et établit les lois civiles et criminelles anglaises.

1764 Parution de la *Gazette de Québec,* journal bilingue qui disparaîtra en 1842.

1773-1774 L'angleterre assouplit son emprise sur le Québec pour résister plus efficacement à la poussée indépendantiste américaine.

1774 Acte de Québec: le droit civil français est rétabli, et le «libre exercice de la religion de l'Église de Rome» est assuré.
Début du soulèvement des treize colonies américaines, avec la Déclaration des droits de Philadelphie.

1776 Déclaration d'indépendance des colonies américaines. Une première invasion militaire américaine est repoussée.

1783 Traité de Versailles: fin de la guerre anglo-américaine. De nombreux loyalistes américains s'installent dans la région de l'Ontario.

1791 Vote, à Londres, de l'Acte constitutionnel. Le Canada est divisé en deux provinces, le Haut-Canada (10 000 habitants, anglophones) et le Bas-Canada (150 000 habitants, francophones), qui disposent d'institutions identiques: un gouvernement, une Assemblée, un Conseil exécutif.

1792 Le parti canadien démocratique (de langue française) joue à fond les règles britanniques du parlementarisme et domine l'Assemblée. L'English Party tente auprès de Londres de faire unir les deux provinces. Cette situation se dégradera en 1837 avec la révolte de Papineau.

1793 À la chambre de Québec, débat sur la question des langues.

1804 Napoléon 1er.

1806-1810 Censure du journal *Le Canadien.* Ses propriétaires et rédacteurs sont jetés en prison.

228

1812   Guerre entre les États-Unis et l'Angleterre: seconde invasion militaire américaine au Canada.

1817   Création de la Bank of Montreal.

1822   Projet d'union des deux Canadas. Le texte proposé proscrit l'usage législatif du français.

1823   Doctrine Monroe: «L'Amérique aux Américains.» Charles X, roi de France; George IV, roi d'Angleterre.

1829   Fondation de l'université McGill à Montréal.

1831   Voyage d'Alexis de Tocqueville au Canada. Louis-Philippe, roi des Français.

1836   Inauguration de la première ligne de chemin de fer. Victoria, reine d'Angleterre.

1837-1838   Louis-Joseph Papineau, chef du parti patriote, lutte pour l'application d'un régime représentatif fondé sur la souveraineté populaire, sur la responsabilité ministérielle, et pour les droits du nationalisme canadien face au gouverneur britannique. Il est l'instigateur d'une rébellion dans les deux provinces. L.-J. Papineau est exilé. Douze patriotes sont pendus à Montréal.

1839   Rapport de lord Durham sur l'état du Canada après la rébellion de 1837-1838.
Il préconise l'anglicisation des francophones et l'établissement d'un gouvernement responsable.

1840   Acte d'union: la loi anglaise réunit les deux provinces en une colonie unique. La Chambre comporte le même nombre de députés pour le Haut-Canada (450 000 habitants) que pour le Bas-Canada (650 000 habitants). Ce régime suscite de vives tensions dans la population francophone, qui s'estime sous-représentée et lésée: des dettes sont partagées *per capita,* sur l'ensemble de la population, alors que la dette de l'Ontario dépasse très largement celle du Québec. L'anglais est proclamé seule langue officielle.

II. — De l'Union à la «révolution tranquille»

1. *La genèse du Canada (1840-1867)*

1840-1850   Campagnes en faveur de la colonisation pour empê-
             cher l'émigration massive des francophones vers les
             États-Unis. Ils sont 40 000 à partir, durant cette période.

1848   Reconnaissance de l'égalité des deux langues officielles,
             le français et l'anglais.

1850-1867   Au Canada-Uni, c'est l'impasse. À partir de 1858,
             aucun gouvernement ne peut s'assurer une majorité
             stable. Affrontements entre l'Est et l'Ouest.

1851   Le recensement indique que, pour la première fois, les
             francophones sont moins nombreux que les anglophones.

1852   Fondation de l'université Laval à Québec.

1855   Retrouvailles franco-québécoises à l'occasion de la visite
             de la *Capricieuse*.

1859   Création d'un consulat de France à Québec.

1862   L'Angleterre retire ses troupes du Canada.

1864   Napoléon III.

1866   Réunion à Londres des représentants du Canada-Uni,
             du Nouveau-Brunswick et de la Nouvelle-Écosse.

1867   Entrée en vigueur de la Constitution dite Acte de l'Amé-
             rique britannique du Nord, qui crée une confédération,
             le Dominion of Canada, avec quatre provinces : l'On-
             tario, le Québec, la Nouvelle-Écosse, le Nouveau-Bruns-
             wick. Le français a le statut de langue officielle aux
             Parlements d'Ottawa et de Québec et devant les tribunaux
             fédéraux et québécois.

2. *Les premières années de la Confédération (1867-1910)*

C'est une période marquée par le développement de l'agriculture, avec un glissement vers l'élevage laitier. L'industrie
naissante fait face à une pénurie de capitaux et se heurte à
une société plus rurale qu'urbaine. On note une expansion
du pouvoir du clergé et une tension entre Ottawa et Québec.

1869   Louis Riel, à la tête des métis canadiens, forme un gou-
             vernement provisoire à l'ouest de l'Ontario. Des troubles
             éclatent. Louis Riel se réfugie aux États-Unis.

1870   Le Manitoba devient la cinquième province du Canada.
             Son statut bilingue est semblable à celui du Québec.

230

Le Nouveau-Brunswick abolit les écoles catholiques (francophones).

1871 Entrée de la Colombie britannique dans le dominion.

1875 Création de la Cour suprême du Canada.

1880 À partir de cette date et jusqu'en 1910, intense période de relations et de collaboration économique franco-québécoises.

1881 Voyage du Premier ministre du Québec, Chapleau, à Paris, où il est reçu par Gambetta, le président du Conseil français.

1882 Ouverture d'une Agence générale du Québec à Paris.

1885 Nouvelle révolte des métis (francophones). La pendaison de Louis Riel provoque de violentes réactions au Québec, préoccupé par les luttes pour les droits linguistiques et scolaires des francophones installés hors du Québec.

1887 Honoré Mercier, Premier ministre du Québec, réunit la première conférence des Premiers ministres pour résister aux tendances centralisatrices du gouvernement du dominion.

1889 Au Manitoba, fermeture des écoles francophones.

1891 Le président de la République française, Sadi Carnot, reçoit à Paris Honoré Mercier.

1896 Wilfrid Laurier, chef du parti libéral fédéral, devient Premier ministre du dominion, avec l'appui massif du vote québécois. C'est le premier francophone à détenir ce poste.

1897 Création d'une zone économique de libre-échange entre la Grande-Bretagne et les dominions.

1900-1910 Début de l'industrialisation au Québec. Les Québécois protestent contre la participation du Canada aux guerres coloniales de l'Angleterre.

1901 Édouard VII, roi de Grande-Bretagne.

1902 Les syndicats canadiens décident de continuer à être affiliés aux fédérations américaines.

1905 L'Alberta et le Saskatchewan entrent dans la Confédération canadienne.

3. Le Québec et le premier conflit mondial (1910-1920).

1910   George V, roi de Grande-Bretagne.

Henri Bourassa fonde *Le Devoir,* quotidien québécois.

1912   Cessation des relations officielles franco-québécoises.

1914   Déclaration de guerre. Le Canada offre des contingents à l'Angleterre. Déjà on entend des protestations au Québec: «Si l'on nous demande d'aller nous battre pour l'Angleterre, nous répondrons: «Qu'on nous rende nos écoles!''»

1915   Restriction de l'emploi du français dans l'Ontario.

1917   Le service militaire devient obligatoire. Manifestations de pacifistes à Québec et à Montréal contre la conscription. Répression sanglante, «Motion Francoeur» présentée à la Chambre: «...que cette chambre est d'avis que la province de Québec serait disposée à accepter la rupture du pacte fédératif de 1867 si, dans les autres provinces, on croit qu'elle est un obstacle à l'union, au progrès et au développement du Canada».

4. Le Canada sur la scène internationale (1920-1945).

Le gouvernement favorise les investissements massifs dans l'infrastructure industrielle de l'Ontario et réduit les Québécois à l'état de retraités très favorisés. Les masses s'urbanisent. Les élites traditionnelles sont remplacées. Le peuple se prolétarise.

1918   Émeutes à Québec.

1920   Création de l'université de Montréal.

1931   Statut de Westminster: la capacité internationale est reconnue aux dominions. Le Canada obtient l'indépendance de fait.

1934   Élection de Maurice Duplessis, chef de l'Union nationale (le parti conservateur), comme Premier ministre du Québec.

1937   Le Conseil privé de la reine, à Londres, agissant comme tribunal constitutionnel du Canada, refuse au gouvernement du dominion le droit de mettre en vigueur les traités qu'il a signés avec des organisations internatio-

232

nales si les mesures qu'il lui faudrait prendre relèvent de domaines que l'Acte de l'Amérique britannique du Nord attribue à la compétence exclusive des gouvernements des provinces. Le Québec demande la décentralisation du pouvoir et s'oppose au droit d'Ottawa d'enquêter sur les finances provinciales.

1939-1944   Le parti libéral est au pouvoir pendant la seconde guerre mondiale. Il en profite pour opérer une nationalisation partielle du réseau hydroélectrique et créer l'Hydro-Québec (1944).

5. Le règne de Duplessis (1946-1959).

Sous l'administration de Duplessis, le Québec s'industrialise mais les conflits ouvriers deviennent plus longs et plus violents.

Le Québec connaît un réveil artistique avec le théâtre du Rideau-Vert (1948), les Jeunesses musicales (1949), la galerie d'art Agnès Lefort (1950), le théâtre du Nouveau-Monde (1951) et la Comédie-Canadienne (1958). Le grand prix du Disque est attribué à Félix Leclerc (1951). Chez les auteurs, on reçaise s'installe à Montréal en 1952. Chez les auteurs, on remarque Anne Hébert, Marcel Dubé. Des revues marquantes paraissent: Cité libre (1950), Liberté (1958), La Revue socialiste (1959).

Maurice Duplessis lutte contre la décentralisation à Ottawa et les pouvoirs fiscaux du gouvernement central. Thèmes principaux du «duplessisme»: l'autonomie provinciale, l'entreprise privée, la lutte contre les syndicats.

1948   Grève de l'amiante au Québec.

Adoption du drapeau québécois.

1949   Entrée de Terre-Neuve dans le dominion, après référendum.

1952   Elisabeth II.

Abolition du recours au comité judiciaire du Conseil privé de la reine, à Londres, comme instance judiciaire suprême au Canada.

Inauguration de la première station de télévision à Montréal.

Réintroduction d'un impôt sur le revenu au Québec.

1954 Création de l'université de Sherbrooke.

1956 À Ottawa, cabinet libéral de Louis Saint-Laurent. René Lévesque accompagne M. Lester B. Pearson, ministre fédéral des Affaires extérieures, dans son voyage dans les capitales du monde, dont Moscou.

Début de l'émission de René Lévesque «Point de mire».

1957 Élection du conservateur John Diefenbaker à la tête du gouvernement fédéral.

1958 En décembre, début de la longue grève à Radio-Canada.

1959 Inauguration de la voie maritime reliant l'Atlantique aux Grands Lacs.

Mort de Maurice Duplessis à Schefferville.
Paul Sauvé lui succède pour cent jours. Un leitmoviv: «Désormais...»

III. — De la «révolution tranquille» à la victoire de René Lévesque

1. *La «révolution tranquille» (1960-1967)*.

La jeunesse québécoise et les intellectuels sont favorables aux réformes de Jean Lesage. Le clergé se fait discret et appuie dans certains cas ces initiatives. Les auteurs à la mode sont Gérard Bessette, Gratien Gélinas, Paul Chamberland, Jacques Renaud, Hubert Aquin, Rejean Ducharme, Jacques Godbout, Michel Tremblay, Pierre Vallières, Roch Carrier, Yves Thériault. Les revues et journaux où il se brasse des idées se signalent: *Recherches sociographiques, les Écrits du Canada français, Maintenant, Cité libre, Liberté, Parti pris, Socialisme, Études françaises, La Barre du jour, Culture vivante, Québec Presse, Point de mire, Le Nouveau Journal, Mainmise.* De 1961 à 1965, on remet en question la société traditionnelle québécoise, la prédominance du clergé, la corruption électorale, le retard économique, les lacunes en matière de langue et d'éducation. Cependant, les espoirs déclenchés par les libéraux se terminent par des affrontements, dans le monde ouvrier et sur le plan idéologique.

234

1960   *Juin:* Victoire du parti libéral provincial — alors de ten-
        dance nationaliste — au Québec. Slogan: «Il est temps
        que cela change.» Sous le nom de «révolution tranquille»,
        le nouveau Premier ministre de la province, Jean Lesage,
        lance une politique d'émancipation.

1961   *Févr.:* Création de la commission royale d'enquête sur
        l'enseignement, dite «commission Parent». Sur les murs,
        au Québec, on voit apparaître: «À bas la Confédéra-
        tion!»
        Mars: Création du ministère des Affaires culturelles et
        du ministère des Ressources (Énergie et Mines), dont
        Lévesque est le premier titulaire.
        Oct.: Le général de Gaulle reçoit Jean Lesage en visite
        officielle. Le Québec ouvre à Paris une délégation géné-
        rale.

1962   *Nov.:* Les électeurs québécois maintiennent les libéraux
        au pouvoir et approuvent le principe de la nationalisation
        des entreprises hydro-électriques. Slogan: «Maîtres chez
        nous.»

1963   *Mars:* Premières bombes du Front de libération du
        Québec (F.L.Q.).
        Avril: Le parti libéral fédéral gagne les élections. Lester
        Pearson devient Premier ministre du Canada, et le res-
        tera après avoir perdu en 1965 la majorité absolue.

1964   *Janv.:* Le général de Gaulle reçoit M. Pearson en visite
        officielle. Tout en soulignant la «solidarité particulière
        et naturelle» des Français avec les Québécois, il déclare
        qu'il n'y a rien là qui puisse contrarier les «heureuses
        relations franco-canadiennes».
        Févr.: Visites de la reine. Manifestations. Interventions
        de la police. Le «Samedi de la matraque».
        Les auteurs du rapport préliminaire de la commission
        d'enquête sur le bilinguisme et le biculturalisme affirment
        que le Canada traverse la période la plus critique de
        son histoire.
        Première entente internationale signée à Paris par le gou-
        vernement provincial du Québec, entente qui porte sur

235

la coopération franco-québécoise dans le domaine de l'éducation.

Mars: Création du ministère de l'Éducation.

Nov.: Signature d'une nouvelle entente franco-québécoise sur la culture.

Déc.: Après trente-trois jours de débat, la Chambre des communes d'Ottawa adopte un drapeau pour le Canada.

1965 *Janv.:* Le gouvernement français reconnaît officiellement la délégation du Québec à Paris.

Arrestation à New York de Pierre Vallières, qui connaîtra la prison et écrira les *Nègres blancs d'Amérique.*
mérique.

1966 *Juin:* Les libéraux se sont rendus impopulaires.

L'Union nationale réformée gagne les élections au Québec. Daniel Johnson, nationaliste, devient Premier ministre et lance la formule: «Égalité ou indépendance.»

1967 *Avril:* Création du ministère des Affaires intergouvernementales.

Centenaire de la Confédération du Canada et ouverture de l'Exposition universelle de Montréal.

Mai: Daniel Johnson en visite officielle en France. Il est appelé par le général de Gaulle: «Mon ami, Daniel Johnson...»

Juill.: Invité par le gouvernement fédéral et par celui du Québec (à l'occasion de l'Exposition de Montréal), le général de Gaulle termine, le 24 juillet, à Montréal, son discours par son fameux «Vive le Québec libre!» À la suite d'une protestation du gouvernement canadien, il annule la visite qu'il devait faire à Ottawa.

2. *Le développement du parti québécois (1968-1970).*

1968 Assassinat de Martin Luther King et de Robert Kennedy. Troubles de mai en France. L'U.R.S.S. envahit Prague.

Création de l'Office franco-québécois pour la jeunesse.

Avril: À Ottawa, M. Pearson cède la place au Montréalais Pierre Elliott Trudeau, qui veut instaurer le «bilinguisme» dans tout le Canada.

236

Juin: **P.E.** Trudeau fait face à la foule, en émeute, pour la fête de la Saint-Jean-Baptiste.

Sept.: Daniel Johnson meurt subitement, à la veille d'une nouvelle visite officielle en France. M. Jean-Jacques Bertrand lui succède. Problème crucial: la question linguistique.

Oct.: Création du parti québécois de René Lévesque, qui absorbe les petites formations séparatistes.

Nov.: Création du ministère de l'Immigration.

1969 *Juill.:* Plus les politiciens en place adoptent des mesures antidémocratiques à l'égard des francophones, plus il y a des émeutes et des bombes. Le français devient langue officielle dans toutes les institutions fédérales canadiennes.

Avril: Le parti libéral, ayant à sa tête Robert Bourassa, gagne les élections sur le thème du maintien de la Fédération canadienne. René Lévesque perd son siège de député. La violence se poursuit.

Oct.-déc.: M. James Cross, chef de la mission commerciale britannique à Montréal, puis Pierre Laporte, ministre québécois du Travail et de la Main-d'oeuvre, sont enlevés par le Front de libération du Québec le 17 octobre. Les «mesures de guerre» sont décrétées par P.E. Trudeau, qui fait emprisonner toutes les forces d'opposition à ses idéaux fédéralistes. En fait, selon certaines enquêtes, cette violence aurait été téléguidée par la gendarmerie royale du Canada au service des politiciens en place. Pierre Laporte est retrouvé assassiné. M. James Cross est libéré sain et sauf le 3 décembre. Le F.L.Q. est mis hors la loi. René Lévesque déclare: «Ceux qui froidement ont exécuté M. Laporte après l'avoir vu vivre et espérer pendant tant de jours sont des êtres inhumains.»

3. *L'irrésistible ascension du parti québécois (1971-1976).*

Les arts et les lettres prennent la relève des forces d'opposition muselées, avec Pierre Vadeboncoeur, Françoise Loranger, Gaston Miron, Gilles Vigneault, Georges Dor, Robert Charlebois, Denys Arcand, Michel Brault, Claude Jutra.

237

1971 *Juin:* Le gouvernement Bourassa rejette comme insuffisant un projet de loi de réforme de la Fédération canadienne mis au point à Victoria.

Oct.: Violentes manifestations à Québec à la suite de la fermeture du journal *La Presse,* premier quotidien de langue française à Montréal.

Déc.: Création de la Société de développement de la baie James, qui a pour objet de susciter et d'effectuer le développement et l'exploitation des richesses de cette région, en donnant priorité aux intérêts québécois.

1972 *Oct.:* M. Trudeau perd la majorité absolue aux élections fédérales. Il reste à la tête d'un gouvernement minoritaire. Grève générale au Québec des 210 000 employés syndiqués des secteurs public et parapublic. Des débrayages touchent les syndiqués du secteur privé, affiliés aux trois grandes centrales. Les chefs des trois centrales sont condamnés à la prison pour outrage à tribunal.

Déc.: Robert Bourassa formule sa politique d'«indépendance culturelle à l'intérieur du fédéralisme économique».

1973 *Oct.:* Bourassa renforce sa majorité. Le parti libéral obtient 100 sièges sur 108. L'Union nationale s'effondre et n'est plus représentée à la Chambre. Le parti québécois (6 sièges mais 30% des voix) devient le parti officiel de l'opposition.

1974 *Mai:* Le gouvernement Bourassa fait adopter la «loi 22» instituant le français comme seule langue officielle au Québec.

Oct.: Visite officielle en France — la première depuis dix ans — du Premier ministre canadien, M. Trudeau.

Déc.: Visite officielle en France du Premier ministre québécois, M. Bourassa.

1976 *Oct.:* M. Bourassa décide de provoquer les élections provinciales.

15 nov.: Le parti québécois remporte une écrasante victoire.

238

Ⓒ Achevé d'imprimer
le seize novembre mil neuf cent soixante-dix-huit
sur les presses de l'Éclaireur Ltée,
Beauceville, Qué.